超级记忆术

鸿雁 编著

吉林文史出版社
JILIN WENSHI CHUBANSHE

图书在版编目（CIP）数据

超级记忆术 / 鸿雁编著. -- 长春：吉林文史出版社, 2017.5（2018.1重印）

ISBN 978-7-5472-4046-5

Ⅰ.①超… Ⅱ.①鸿… Ⅲ.①记忆术－通俗读物 Ⅳ.①B842.3-49

中国版本图书馆CIP数据核字(2017)第091355号

超级记忆术
CHAOJI JIYISHU

出 版 人	孙建军	
编 著 者	鸿 雁	
责任编辑	于 涉 董 芳	
责任校对	薛 雨	
封面设计	韩立强	
出版发行	吉林文史出版社有限责任公司（长春市人民大街4646号）	
	www.jlws.com.cn	
印 刷	天津海德伟业印务有限公司	
版 次	2017年5月第1版 2018年1月第2次印刷	
开 本	640mm×920mm 16开	
字 数	210千	
印 张	16	
书 号	ISBN 978-7-5472-4046-5	
定 价	45.00元	

前　言

　　良好的记忆是获取成功的基石之一，也是许多人登上事业顶峰不可或缺的重要因素。记忆力的好坏，往往是学业、事业成功与否的关键。在历史上，许多杰出人物都有着超凡的记忆力：古罗马的恺撒大帝能记住每一个士兵的面孔和姓名，亚里士多德能把看过的书几乎一字不差地背诵出来，马克思能整段整段地背诵歌德、但丁、莎士比亚等大师的作品……

　　如今，我们生活在一个信息爆炸的时代，每时每刻都有大量新技术知识和信息问世，而其中的一些知识和信息是我们不得不了解甚至要记住的；然而我们每个人都会遭遇遗忘的问题：写作时提笔忘字；演讲时张口忘词；面对无数英语单词、计算公式总也记不住；走出家门后突然想起煤气没关；到银行取钱却发现密码记不起来；把合作谈判的重要会议抛在脑后……

　　为什么学习那么用功却总也记不住？为什么电话号码、重要纪念日记了又忘？为什么看到一张十分熟悉的面孔却就是想不起名字？为什么连重要的谈判会议都能忘词？你是否对自己的记忆力抱怨不已？你的记忆潜能还有多少没有被挖掘出来？你是否想拥有超级记忆力，成为读书高手、考试强将、职场达人？

　　研究表明，人脑潜在的记忆能力是惊人的和超乎想象的，只要掌握了科学的记忆规律和方法，每个人的记忆力都可以提高。记忆力得到提高，我们的学习能力、工作能力、生活能力也将随之提高，

1

甚至可以改变我们的个人命运。

本书是迅速改善和提高记忆力的实用指南，囊括了古今中外应用最广泛、记忆最高效的超级记忆术。书中对记忆的复杂机制、影响记忆力的因素、提高记忆力的方法等诸多问题进行了深入探讨，并且介绍多种有利于提高记忆效率的"绝招秘技"，不仅告诉你如何记忆名字、数字、日期，还有公式、文章、演讲词等，并辟有专门的章节告诉你如何学习新语言，能快速开发你的记忆潜能，让你的学习更轻松，成功更容易。同时，书中还提供了400余个提升记忆力的思维游戏，帮助你对自己的训练成果进行检查，掌握最适合自己的记忆方法。这里有理论，更有大量的研究案例；有历史性的回顾，更有前瞻性的展望；有实用的方法，更有哲人的启示，期望你能够在阅读中不断挖掘、拥有用之不竭的记忆资本。

记忆力是每个正常人都具有的自然属性与潜在能力，普通人与天才之间并没有不可逾越的鸿沟。记忆力与其他能力一样，是可以通过训练激发出来并在实践中不断得到提高发展的。本书既是一把进入超级记忆王国的智能钥匙，又是个人必备的挖掘大脑潜能的指南。超级记忆术不仅能帮你造就某一方面的出色记忆力，让你快速掌握一门外语，记住容易疏忽的细节，克服心不在焉的毛病；更能让你的记忆力在整体、在各方面都达到杰出水平，轻松记住想记住的事物，让记忆更快更持久。每个人的大脑都是一部高性能电脑，都具有照相般的记忆潜能，充分发掘这些潜能，就可以记住你想记住的一切。通过阅读此书，你会发现自己在短时间内就能轻松记住单词、诗词、甚至元素周期表，并能应用自如。

随着记忆力的提高，你会发现自己的知识结构更加完善，处理问题更加得心应手；你会发现自己的自信心大大提高，在说话时更加有底，办事时更有效率；你还会发现自己的学习力、判断力、分析力、决策力等都随之得到了增强。

　　丰富的内容、精彩的案例、科学有效的方法，结合大量的实用技巧，不仅可以帮助各类学生提高学习效率，而且对于上班族、需要创造力及想象力的专业人士，以及随着年龄的增长而有必要重新给大脑充电的人，都有极大的帮助。

目　录

第一篇

记忆和记忆术概述

第一章
了解你的记忆

记忆是什么

1. 大脑与记忆

大脑由 140 亿个脑细胞组成，每个脑细胞可生长出 2 万个树枝状的树突用来传递信息。人脑"计算机"的功能远远超过世界上最强大的计算机。

人脑可储存 50 亿本书的信息，相当于世界上藏书最多的美国国会图书馆藏书（1000 万册）的 500 倍。

人脑神经细胞功能间每秒可完成信息传递和交换次数达 1000 亿次。

处于激活状态下的人脑，每天可以记住 4 本书的全部内容。

……

净重约 1.5 千克，拥有天文数字一样多的神经细胞以及数十亿的连接，这就是人类的大脑——我们的神经系统中起着关键作用的部分。大脑包含左右两个半球。半球表面是层层折叠的"灰色物质"——大脑皮质，这一部分负责处理决断、记忆、言谈和其他复杂过程。左脑半球控制着右半边身体，右脑半球则控制左半边身体。两个半球中间的连接部分被称为胼胝体。

大脑控制着人类所有的动作和思维，从我们伸出的一根手指，到做算术题目，再到回忆过去美好的时光。但是我们的大脑和记忆之间到底有什么联系呢？事实上，大脑是我们的记忆存储的地方，我们的很多行为都帮助它发挥作用。记忆在一定程度上决定了我们

左半球	右半球
分析	视觉
逻辑	想象
顺序	空间
线性	感性
语言	音韵
列表	整体（概况）
数字能力	色彩感知

◉ 大脑半球思维功能表。

的身份、智力以及情绪，那么，记忆到底在哪里呢？

美国加州理工大学的心理学家罗格·斯佩里曾于20世纪60年代进行过一项针对裂脑（通过外科手术切断胼胝体，常用于治疗癫痫病）患者的研究。斯佩里在研究中发现了大量重要证据，证明了两个半球都有着它们独特的功效。

在其中一项实验中，斯佩里让患者们用手接触物体，然后把它和对应的图片联系起来。他发现：左右手完成这一行为的方法不同，并且左手能比右手更好地完成这一行为。

不过，当要求将物体和文字描述联系起来时，右手比左手完成得更好，左手（对应大脑右半球）更适合将触觉和视觉联系起来。

斯佩里的这一突破性发现为他赢得了 1981 年诺贝尔医学奖。其后许多科学家对这一领域进行了深入研究，目前，人们已经基本上熟悉了两个半球的思维功能。

看着这张表格，我们很容易就能理解为什么人们总是把一个人分成"左脑擅长"或者"右脑擅长"——也就是有逻辑性的或者有创造性的。但这一概念过于简单，容易误导他人。尽管我们可以认为会计师对左脑依赖比较重而艺术家右脑用得比较多，但这两个半脑并不是独立工作的。如果它们真的如此，那我们的生活就会乱作一团。

2. 记忆是什么

王太太是一家玩具商店的店员，也是一位精力充沛的女士，她有一个安排得满满当当的时间表。她的工作做得很好，也从不错过任何一场儿子的足球比赛。最近，她非常吃惊，当她在一场足球比赛上偶然遇到一个熟人时，她竟然叫不上对方的名字。一周之后，王太太走出购物中心时，她竟不记得将自己的车停在了哪里。在此之后的一个月，她发现她已经想不起来她正在读的一本小说中的人物角色。后来，她完全忘记了和一位好朋友约好共进午餐的事。这种恼人的健忘让王太太忧心不已。

李先生是一位工程师，他退休后就把自己的时间全部用于志愿工作。最近，他记不得上个月他是否给他的汽车换了油，或者刚想起来要去换油。他忘记了要去健身房的事，直到走过几条街后才想起来。他曾把房门钥匙藏在车库，但又想不起来放在了哪里。李先生找他的医生检查，看看他的健忘是不是因为得了什么病。

你或你的朋友也许会有与王太太和李先生相似的经历，你也许已注意到了你自己的记忆问题。各种年龄段的人都抱怨记不住东西。

这是我们经常听到的一些抱怨（应该承认我们自己也经常说这些话）。

· 我进了一个房间，却不知道要来干什么。

· 我想不起来要问医生什么。

· 我忘记了我是不是已经吃过药。

· 我曾经把我的项链收好了，却不记得放在哪里。

· 我必须要交纳一笔过时附加费，因为我没有按时交电费。

· 我忘记在旅行时带上我的照相机。

· 我去商店买牛奶，结果什么都买了，最后就是忘了买牛奶。

· 我忘了我姐姐（妹妹）的生日。

如果你曾经有过任何一次这种经历，都应该尝试采取有效措施或训练来提高或改善自己的记忆力。首先，就需要了解一下记忆力是什么，以及记忆力是如何工作的。

记忆是我们大脑中一个存东西的地方，它为我们提供历史信息。它告诉我们昨天以及十年前我们干了什么，它也知道我们明天会干什么。童年的记忆可能会因为听到一首摇篮曲而被唤起，而一段浪漫的回忆在我们闻到某种特殊的花香时浮现在脑海。记忆用各种各样的线索让我们感觉到我们是谁。

事实上，从一个时刻到另一个时刻，你对所有东西都有一个不变的定义，且可以持续很长时间。就好像你会记得昨晚睡在你身边的那个人就是你早上醒来看到的这个人。有了这样的记忆，我们才被称之为人类。没有了记忆，世界便不可能存在。

这一点并不只相对于个人而言，而是整个人类社会都是如此。我们能够记住一个人、地方、东西，或者事件。设想如果我们失去了这一能力，那么世界将会变成什么样！

随着年龄的增长，我们积累越来越多的记忆。我们称之为阅历，它非常珍贵。有了它，我们可以不必绞尽脑汁去想如何解决问题或者揣测接下去将会发生什么。

经验会告诉我们，我们已经碰到过很多次这样的问题，并且知道事态将如何发展。当我们还小的时候，我们常常认为大人们有魔法能够预知电视情节。我们不知道，他们已经看过许多相似的电视节目。这些节目情节并不能迷惑他们。

由于积累了很多经验，年长的人总不如年轻人的思维来得敏锐、快速。年长的人思考得很慢，但是通常他们并不用深入地去思考问题，因为经验就已经告诉他们有可能的答案。年轻人碰到问题时能够学得更多，他们会归类没有遇到过的问题。因此，小孩子在掌握新技术方面总是胜过大人。

记忆就像你的一个小帮手，它会帮助你找到车钥匙。但是，仔细想想，它的作用远远大于这些。

3. 记忆是个性化的

梦想、思想、行动、姓名、地点、面孔、香味、事实、感情、味道，以及许许多多的东西通过记忆带入我们的意识。它们对于我们的记忆来说有着不同的形态。有时，记忆不是这种形态就是那种形态；而有时它们是一个香味、花纹和声音组成的万花筒。一句话，记忆就如同一张由声音、香味、味道、触觉和视觉组成的网。

当你想要进行信息回忆时，记忆会通过联系走捷径来帮助完成记忆任务。然而，许多研究显示，正是你个人的知识、经历，以及一些事情对你的意义在驱动你的记忆。正是在它的帮助下，记忆有了一定的意义。

"生存还是毁灭，这是一个问题。"大多数人知道这引自莎士比亚的《哈姆雷特》。如果你熟悉这个故事，就知道这些话是在一个特定的时刻说的。然而，这些话与你的孩子们第一次说的话或者你的配偶第一次表示他或她爱你相比，就不是那么重要了。你可以想象出一个比莎士比亚作品更戏剧化的场景，因为它是你的。那个地点、那种香水、你的那种感受——当你记起它时，可能产生一种朦胧感而且心潮汹涌。

记忆是我们拥有的最个性化的东西。它给予我们自我感觉。在记忆深处，就是你自己。记忆的运作很大程度上遵循的原则是："它现在或是将来某个时刻是否会与我个人有关？"这种"更高"层次的记忆就是有时我们所称的有意识感觉。

⊚ 一段经历的点点滴滴储存在大脑的不同功能区域中。比如，一件事如何发生储存在视觉皮质；事件的声音储存在听觉皮质。记忆的这两个方面还互相联系。

7

4. 记忆是复杂的

记忆有三个主要的过程：编码（摄入记忆）；存储（保持记忆）；以及再现（再次提取记忆）。记忆是一个动态的和经常存在的活动，而我们关于如何解答记忆的十字交错谜语的理论和概念也仅仅只是处于正在开始形成的阶段。然而，这个不断发展的知识群体已经在对提高我们的记忆力产生帮助。

如果你经常说，"我再也记不住什么东西了"或"我的记忆力怎么变得这么差"，你也许会认为自己的记忆力越来越差了。然而事实证明，通过训练和练习，记忆力是可以得到提高的。

记忆在做某件我们熟悉的事情时可能也在做许多其他的事情。它在许多层面开展工作。

记忆过程是在大脑中发生的。不同种类的信息被接收并存储在不同的位置。

正在运行的记忆过程，或者叫作短时记忆过程，可能发生在大脑的前部。

存储新记忆（即新学的东西）的过程发生在大脑两侧的颞叶。

大脑较大的外层部分叫做大脑皮层，它可能是记忆存储的地方。

⊙ 与记忆有关的几种活动类型。

🌑 古代哲学家把记忆比做大型鸟笼中的鸟。一旦信息被储存，要想再提取那个正确的记忆，就如同如何从大型鸟笼中抓住那只特别的虎皮鹦鹉一样难。

视觉信息通过我们的眼睛进入叫作枕叶的大脑后面某部分，并在此进行加工。

听觉信息通过我们的耳朵进入，并在颞叶进行加工。

立体三维的信息是在大脑顶部的顶叶进行加工的。

还有一些特殊的区域进行着感情记忆加工，以及掌管语言和爱好习惯。

大脑的左半球更多从事的是言语记忆，而右半球更多从事的是视觉记忆。

记忆并不像电脑程序一样死板地记录过去。记忆有极端巧合性。一些没必要记住的事，我们往往能记住它，然而一些值得记忆的事，却常常从我们的记忆中溜走。电影《公民凯恩》中有这样一个引人深思的情节：男主角凯恩在弥留之际说了几个字"玫瑰花蕾"，他本可以讲述其他更多更重要的事情。这也正是影片的悬念之处。直到影片的最后，人们才发现那是凯恩幼年时玩的雪橇的名字。关于凯恩为什么在死前留下这几个字的讨论变得无休无止。

为什么我们说记忆是如此的珍贵，那是因为记忆不是机械呆板的。我们的思维运作能提高自己的记忆力。无意识中，我们的记忆力得到了提升。一些不愉快的事情会从我们的记忆中扫除。

记忆的力量远远超出这些。在必要的时候，记忆能调配出你此刻需要的一些信息，而这些信息可能由于长期的储存已被遗忘。如果你曾参加过一个极富创造力的项目，那么你会发现你的记忆能产生许多没有束缚、令人惊叹的宝贵意见或主意。

也许你并没意识到你的记忆中储存着如此多的信息。所以，记忆不是一个冷冰冰，死气沉沉的记忆工具，记忆就像一个如意库堆满了无数令人惊叹的知识宝藏。

我们不能随意地进入如意库，但是我们能够练习、训练自己的大脑，为如意库储存更多的知识宝藏。

5. 记忆是分散的

与一个长久以来的看法相反的是，记忆并不是只储存在大脑的一个区域。大脑是通过神经细胞的网络结构来处理和储存各种信息的，而神经细胞的网络结构广泛分布于大脑的各个区域。一旦有一条信息需要被提交给记忆系统，无数条连接脑细胞的网线就会被同时激活，也就是说，大脑的绝大部分结构都和记忆的加工、存储有密切关系。

因此所谓"记忆中心"的说法是错误的。任何信息的记忆和再现都要依靠许多不同的记忆系统以及不同类型的感觉通道（听觉、视觉等）。据此推论，记忆只储存在大脑的一个区域的说法也就无法立足。可以说，记忆是"分散的"，不同种类的记忆各自依靠大脑的不同区域。

随着科学实验的深入以及脑电图技术的进步，目前科学家已逐步发现参与记忆的加工存储过程的那些大脑区域。概括地来说包括：

瞬时记忆或短时记忆的加工需要大脑皮质的神经系统；语义记忆需要新大脑皮质对覆盖在灰质外层的两个大脑半球进行调节来完成加工；行为记忆的加工过程涉及到位于灰质层之下的结构，比如说，小脑和锯齿状的灰物质块，等等；情景记忆主要依赖额叶皮质，还有海马状突起以及丘脑，这些结构都是大脑边缘系统的组成部分。

神经生物学家们通过研究发现，海马状突起在记忆的加工处理过程中起着至关重要的作用。它位于大脑的里层，属于脑边缘系统，和太阳穴叶平齐，因此它可以保证不同的大脑区域之间相互联系。短时记忆向长时记忆转换时，也就是记忆的巩固强化阶段，需要大脑的不同区域的参与，这一过程中，海马状突起发挥了关键作用。如果一个人的海马状突起受损，将会导致记忆新信息的能力完全丧失，无论是文字、形象还是图片信息。

6. 关于记忆的问题

⊙如何定义记忆

记忆不是以简单的程序存在的，关于记忆最常见的说法是学习和记住信息的能力。然而，随着年龄的增长，人们发现先前的知识不断被遗忘，并开始抱怨自己的记忆。事实上，生物学的实际情况比这个相当模糊的"记忆"术语复杂得多。

面对一条新信息，通常先是一个极其短暂的感官记忆，接着是一个20多秒钟的短期记忆，然后是通过各种途径构筑成长期记忆。

记忆这一术语也同样应用于对3个动态过程的参照：学习新信息，将其储存在大脑的特殊空间，然后在需要的时候将其找出来。

对大多数人来说，记忆基本上被用于自主学习的场合，而在日大脑的损伤可能带来记忆的缺损。
解决办法：采取大脑防护设施；增加安全性，减少毒素，增加记忆补充品。

由于缺乏营养，额－颞叶连接功能可能弱化。
解决办法：经常补充营养并增加智力上的挑战。

由于长期处于紧张状态，海马脑回区域的神经细胞可能相继死去。
解决办法：通过应用日常的放松法减少压力。

大脑细胞可能缺乏氧。
解决办法：增加心血管活动。

神经递质可能下降。
解决办法：增加饮食营养，特别是能够产生记忆神经递质的营养物。

☺ 随着年龄增长，记忆力会发生一些变化，在这里提供了一些解决办法。

常生活实践中我们常处于不自觉记忆的情况下，即科学家们所说的"无意识记忆"。这种应用于日常的记忆，使我们无需真正去学习就能记住邻居所穿裙子的颜色。这种能力是我们自然智力功能的基本要素之一。

⊙什么是"好的"和"差的"记忆

比较"好的"和"差的"记忆涉及记忆程序的运行效率问题，我们认真地学习并很好地储存所学的信息，是否就能够很容易地回想起来？我们会发现有许多不同的描述，并且每个人对记忆的抱怨也不相同。

另一方面，一些事物有助于发展某些人的记忆力，对另一些人则不然。所以，我们不能真正地比较"好的"或者"差的"记忆。因为，对记忆效率的感觉是非常主观的：一个人与另一个人不同，一个领域与另一个领域不同，一个年龄段也不同于另一个年龄段。另外，在医学上，虽然神经学家和心理学家能够判断一个人是否存在记忆的障碍，但是，对他们来说衡量和断定一个人记忆力的真实情况是极为困难的。

好的记忆是年龄的问题吗

应该以另一种方式来提出这个问题：是否存在一个学习效果最佳的年龄段？答案是肯定的。人们在大约30岁之前，能表现出不同寻常的记忆能力，较容易集中精神，并且学习速度较快。在这之后，人们学习变得有些困难。但是，这并没有什么可怕的！只不过为了达到同样的效果，人们需要用更多的时间。在15岁时我们只需要学习3次就能记住一首诗，而50岁时我们必须投入更多的精力来分析和处理信息，而且我们对干扰和噪音更敏感，所以需要更多的时间和更多的尝试来记住同一首诗。一个中学生可以边听音乐边复习功课，而一个40岁的人只能在安静的环境中才能保持精神集中。

然而，当涉及到重新提取信息时，年龄大则构成一个优势，因为一个人的年龄越大，所储存的信息相对就越多。让我们来举一个例子：如果你是一位年轻记者，正在跟进一个选题，关于这项任务你一定比你的主编知道得更多。但是他可能会告诉你，关于类似的内容，在60年前的某份报纸上曾发表过一篇非常有意思的文章。这是记忆中经验的参与，是随着时间的推移所积累的知识的反映。如果你让我学习一篇医学文章，我将比较容易记住，因为我已经拥有了这个领域的很多知识，这将帮助我记住新的知识。相反，如果是一篇法律文章，我就只能死记硬背，而这对我来说比较困难。

最好在年轻时学习一门外语吗

最好早点开始学习外语，因为它涉及精确的知识，而通常一种语言词汇的构筑、语调的学习都是在幼年自觉发生的。5岁之前，一个孩子能够自觉学习不同语言的全部语音；而年龄稍大一些，则会选择那些自己常听到的词汇进行学习。因此，一个年纪非常小的孩子可以借助一些短小的歌曲来掌握不同的外语语调。

对成人来说，这项任务更多地要求"用心"强记，因此将更难以实现。但是不要忘记，总是存在个体的例外。一家公司的老总在退休后学习了西班牙语和意大利语，并且达到了相当优秀的水平。而这对其他人来说，则被证明是比较困难的。

记忆力的好坏是基因决定的吗

即使教育可能扮演着一个重要的角色，我们还是发现，一些人虽然没有在著名的院校进行过长时间的学习，却有着非常出色的记忆力；相反，有一些人虽然经常出入重点院校，却并没有良好的记忆力。因此，学习能力的不同，不仅仅归因于教育的影响。

然而，还没有任何一个研究人员发现超常记忆的主控基因！虽然在某些动物身上发现遗忘基因和记忆基因，但是直到现在，这些通常是从一些非常特殊的实验中总结出来的假设，很难用以推断人类记忆的自然功能。总之，记忆肯定表现为天生所有和后天获得、基因和教育的混合物。

男性和女性以相同的方式记忆吗

回答这个问题并不容易，虽然绝大部分的性别特征与教育有关，然而通过采用激素分泌的间接方法却证明，基因也是一个需要被考虑的因素。某些激素分泌的多少是性别特征形成的主导因素，并且对许多智力功能，特别是记忆的运作具有影响。这种干预如果出现在儿童发育期间，将决定男孩和女孩的不同能力；如果出现在成人期间，将导致不同的行为效率，例如女性月经期间行为效率多少会有所下降。

通常女性在应用语言的活动中更有成就，而男性在需要求助于视觉—空间记忆时则表现得更有效率。例如，为了记住一条路线，女性趋向于记忆口语标志——"到了药店，向右拐"，而男性更注意空间方位的变化。

个人文化扮演着什么角色

基本上是记忆构筑了我们的个人文化，因为文化是我们通过学习获得的知识，它既包括亨利四世于 1610 年 5 月 14 日在巴黎被杀，都柏林是爱尔兰的首都等这样的常识，也包括你小学四年级历史老师的姓名，或者你最喜爱的电影导演的名字。的确，新信息越是能和先前的知识建立联系，就越容易被掌握。记忆帮助我们构建了知识储存库，使我们更容易记住在同一领域里的新信息。

因此，一个律师或一个演员通常要比一个花匠更"擅长"学习一篇文章。律师将立即发现一篇文章分成 4 个部分，其中第二部分使他想起以前在别处读到的论点。相比之下，一个花匠或一个猎人可能更容易记住一条路线。简而言之，越是从事一项专门的、职业的活动，就越能开发在这一领域的记忆能力。

良好的记忆是智力使然吗

记忆当然与智力有关。同样不可否定的是，它参与智力的运行功能。但是从柯萨科夫综合征患者身上发现，他们虽然遗忘了许多东西，智力却保存完好。1888 年俄罗斯医生柯萨科夫曾经记录，他的一个遗忘症患者在赢得一盘象棋两分钟后，就忘记了自己获胜的事实。

心理学家用"认知"或者"认知过程"代替"智力"这个术语。如果把智力定义为解决问题或者适应新情况的能力，那么在缺乏记忆参与的情况下，它将是极为残缺的。事实上，智力因生活经验丰富而逐渐提升，而经验就是记忆。

我们的大脑是否在不断地记忆

只要我们不睡觉，大脑就会感知信息，我们就可以或多或少地去记住某些信息。当我们正在聚精会神地阅读一篇文章时，有人在隔壁房间听收音机，起初我们可能没注意或者听不见……直到某个时刻阅读无法再吸引我们的注意力，于是我们的精神由于音乐的干扰而开始漫游。幸运的是，意图、动机、意识（我想学习）能够过滤这种对干扰的感知，使我们的注意力集中。

但是，我们是否能记住所感知到的一切？所有的都被储存起来了吗？我们都能够回忆起来吗？一切感知都在我们的大脑里刻印下痕迹，但其中一些被删除了，另一些改变了：不太重要和未被利用的信息将趋于消失，或隐藏在某种存在之中。总之，很可能我们记住了比我们所想象的要多的信息，但也应该考虑一下所有信息是否都真的有用。

我们冒着记忆"饱和"的危险吗

我们的记忆存储似乎从来都不能达到饱和，并且我们总是能够学习更多的东西。除非在生病的情况下，一个 80 岁或 90 岁的人完全有能力学习新知识。

然而，学习机制则不同。在一段时间的学习之后，平均在 45 分钟到 2 个小时之间，记忆即达到饱和。但如果我们隔一段时间更换一个科目，就能够连续 6 个小时不断地学习。例如，在学医的时候，先学习 1 小时的肺病学，然后再学 1 小时的神经学，以及 1 小时的血液学，而不是 3 小时都在学习神经学。事实上，最好将知识分成小块来学习，以避免极为相近的知识之间互相干扰。虽然每门学科都没有全部学完，但是我们却能够很好地掌握已经学过的部分。当然，一段时间之后，应该休息或者更换学习内容。更换科目能重新刺激学习机制，不要忽视新事物的激励作用。

⊙我们能够在大脑中确定记忆的位置吗

解剖学的观点认为，记忆痕迹储存在整个大脑中，特别是大脑后面的感官部分。

神经元间的相互连接形成了神经"网络"，它的形状像蜘蛛网，连接着所有与同一事件相关的感觉元素。当一个神经元学习时，会产生特殊的电活动，分泌出蛋白质，并且与其他神经元建立连接形成环路。以后，每一次做同样的事情时，都会巩固相关的电痕迹和蛋白质合成的记忆。因此，环路用得越多，记忆痕迹在大脑中保存得就越持久。

当我们要回忆上个周末做了什么的时候，会尝试寻找相关的神经元地图，包括所有与其联系在一起的味道、声音、情感等。回忆的过程就是重新构建神经元地图，聚集所有分散了的记忆痕迹。

⊙我们应该在什么时候为自己的记忆担忧

约有 50% 的 50 岁人和 70% 的 70 岁以上的人常抱怨自己的记忆，但这些抱怨并不一定对应着记忆障碍——没有疾病就没有记忆障碍。许多抱怨自己记忆不好的人，记忆检测结果却完全"正常"，其实他们只是缺乏注意力。然而在日常生活中对另一些情况的抱怨则确实令人担忧，比如别人重复了 20 次的问题仍然记不住；经常在马路上迷失方向；不记得 10 天以前做过什么，而那天正是侄女的生日……如果在记忆检测中确实显示出不正常，那就有可能真正患了疾病。

如何进行记忆诊断

首先，帮助那些来做记忆诊断的人消除疑虑是非常必要的，要让他们有信心。记忆测试一般需要 1 ~ 3 个小时，为了确定某一种记忆障碍，必须对记忆的不同方面进行测试：视觉记忆、口头记忆、文化知识、个人经历，等等。并且不应仅局限于测试记忆，同样也需要测试注意力、语言能力、演绎推理能力等。

所谓对"情景"记忆的测试，包括对一列词汇、历史知识或者地图的学习，可以是简单的，也可以是复杂的。一旦被测试者已经记住了一列词汇，我们将立刻让他复述（即刻回忆），然后在 2 分钟、5 分钟或者 10 分钟之后再次复述（分散记忆）。测试可以通过提供一个线索来简易化："请你回忆一下，在那列词汇中有一种花的名字。"也可以要求在第二列词汇中找出在第一列中出现过的词，也就是说，通过"识别"来回忆。

如果测试结果显示不正常该怎么办

如果结果是正常的，测试就到此为止。如果测试表明存在记忆障碍，医生可以要求被测试者做其他医学影像的检查。通过扫描或者磁共振图像可以知道某种功能丧失是源于肿瘤还是脑部疾病发作，或是记忆区域萎缩。这种检查报告有时候对探测某些疾病非常有用。

⊙我们为什么记住一些事情，却忘记另一些事情

在个人记忆中，感情、感觉和动机扮演着重要的角色。记忆一条信息，不仅只是学习这条信息，也是学习它所要表达的内容，也就是说不仅是记住时间和地点，也包括情感体验。我们知道，愉悦可以刺激学习机制，而当缺乏快乐的因素时，记忆力就会下降。因此，记忆的选择性必定与动机、个性、个人经历、已有的知识等因素相关。例如，一些焦虑的人较不善于记住那些不让他们担忧的事物的信息，因为他们的注意力被焦虑"消耗着"。

我们为什么会遗忘

随着年龄的增长，记忆的动机和能力会改变。我们学得不好，因为我们很累，动机不够，并且注意力也降低了。以前记住的一些信息变得普通或失去作用，要想从大脑中重新提取出来变得更加困难，而且需要投入更多的注意力。这就是为什么那些年龄大的人更容易回忆起以前那些经常被重复，并且在感情中打下深深烙印的事情的原因。

这种难以找回记忆的现象常表现为两种形式。第一种是"舌尖

18

现象"，其特征是对一条信息的回忆非常困难，然而我们知道它就在那儿——比如一个人的名字——只是一时想不起来。而当我们成功地想起第一次遇到这条信息的场景时，它就会出现在我们脑海中。

第二种现象则与记忆的"源头"有关。我们记住了一些事情，但是却记不清事情发生的具体时间和地点。例如，我们接连几次向同一个人讲述同一则轶事，因为我们忘了在生命中的哪个时刻已经讲过它了，而且讲过不止一次。

一些记忆为什么被扭曲

因为一个很简单的原因：记忆不是以一个自主的实体存在的。记忆不是你能在图书馆的书架上找到的一本书，也不是一张相片。我们记住一张相片，是记住了这张相片的组成要素，也就是说，回忆的过程是对一副图像或者一种状况的重组。在这个过程中，我们只能重组不超过80%的信息，而另一个参加了同一个场景的人也记住了80%，但是他所记住的内容和我们记住的是不同的。长久之后，一些要素将永远消失或者被别的信息干扰而改变、扭曲。因此，我们可能以为堂妹曾经在1986年的假期来看望过我们，而实际上她是在1989年的假期来的。尤其是如果我们在同一个地点度假，错误的信息就更容易对记忆造成干扰。

为什么有时候我们找不到钥匙

我们的日常生活充满了很多随意的情形。当把钥匙随意放在某个地方时，我们总是不太注意，因为放钥匙的动作在记忆中与其他相似的、重复了上百遍的动作混淆在一起了。要知道，我们的大脑不能记住或者以有意识的方式回忆起所有的东西。为什么我们要记住一切？那将很可怕。我们做过太多的事情！我们的大脑使某些信息变得容易回想起来，并使另一些信息变得模糊不清，这样才能为其他更有意义的信息保留空间。因此，自动化的行为带来的更多是好处——留着空间去记住那些比把钥匙放在什么地方更重要的信息。如果我们经常忘记把钥匙放在哪儿了，不妨利用一些外部辅助工具，比如空口袋——总是把钥匙放在同一个地方。

⊙我们能否改善记忆力

通过训练可以改善记忆力，但只局限在被训练的那个领域里。如果训练的是记忆文字的能力，我们并不会更容易找到钥匙，但是却在记忆文字方面越来越有效率。我们可以训练注意力，但是记忆名字的能力并不会因此增强。通过练习能够改善一些能力，但关键还在于是否能够把得到的益处应用于实际生活中。如果利用练习来开发视觉能力，却不尝试把它应用到生活中，则没有任何意义。练习应该是快乐的并且符合自己的兴趣，否则效果将会是有限的，甚至造成焦虑。这意味着，最好的激励是在日常生活中开展各种活动、阅读、与朋友聚会、旅游等。良好的生活保健也同样是不可忽视的，失眠、劳累过度、焦虑都是影响注意力的消极因素。

是否存在可以增强记忆力的维生素

人在疲劳的状态下，补充维生素 C 能够增强注意力。脑营养学家建议每个星期吃两次饱和脂肪含量高的鱼，但这并不是说，吃鱼会使我们拥有超乎寻常的记忆力。只不过，我们不太重视养成良好的生活习惯——均衡的饮食、充足的睡眠、良好的身体状况对记忆功能的重要性。

如何训练我们的记忆

在本书中，你将发现一系列趣味练习，这些练习不是让我们学习如何选择正确的答案，而是帮助我们学习解决问题的技巧。如果涉及记忆数字的练习，重要的不是找到正确的答案，而是掌握应该应用的方法。这样，在今后的生活中再遇到数字问题的时候，我们就知道该使用哪种方法了。要记住，生活中所有要求我们集中注意力的情形都对记忆有帮助。

7. 了解记忆的方法

⊙使用心理测试

科学家们，特别是神经心理学家，已经开发了许多方法来研究记忆。其中一个方法就是让人们做测试以发现他们是如何反应的，以及有什么可能干涉他们的表现。例如，心理学家可能给人们看几幅图片，然后看他们是否能从其从未看到过的其他图片中将它们分辨出来。这叫做形象认知记忆。或者，他们可能读出一组词汇，然后要求人们复述。这叫做语言回忆。

通过这些种类的测试已经发现，一般性来说，人们能回忆大约

⊙ 通过磁共振技术得到的图像革新了人们对大脑的认识，上面这幅图像展示出被测者在默念词汇时某些语言区域（区域44）的活化。

七个词（或其他像数字之类的信息），而且他们发现更容易回忆起开头和最末的几项。如果信息以某种方式组织起来，如分类，那么人们通常能回忆起更多东西和更长时间的东西。通过使用这些种类的测试，心理学家们已经拼出了他们所认为的记忆系统工作的模式。

⊙ **大脑及记忆的紊乱失调**

我们许多有关记忆的知识都是通过研究大脑紊乱失调的人而获得的。这也同时帮助临床医生们开发出了更好的诊断技术和大脑功能紊乱康复技术。

健忘症的研究也对科学有着很大的帮助。健忘症指的是大脑中对记忆系统的一部分——具有支持功能的一部分（或几个部分）——受到了损伤。健忘症患者们经常能用不同于他们以往的方式来描述他们对这个世界的体验。他们的大脑功能也可以用测量不同类型的记忆的目标测试来进行评估。

因此，通过这些类型的案例，以及其他记忆功能失调，科学家们已经建立起了不同类型的记忆加工的轮廓和对记忆有着重要作用的大脑区域的轮廓。

大脑成像（神经性放射医学）

大脑成像已经被证实是在对记忆的研究中的一个进步。它为我们提供了一幅真实的形象，指示记忆在大脑中所处的位置。

诸如电脑 X 射线断层摄影扫描 (CAT 或 CT) 之类的基础扫描方法通过发射 X 射线穿透大脑的细胞组织揭示大脑的结构。把受损伤的大脑的图像同记忆测试的结果结合起来，帮助我们对记忆发生的位置有了更多的了解。

功能性磁力共振成像（功磁共像）可以被用来跟踪当一个人被要求去干如记住一串单词之类的事情时大脑中的变化。功磁共像是通过收集大脑活动的磁力"标记"来做到这些的，如氧摄入。这项技术能让我们真切地"看到"记忆在实际情况下的活动。

另外一种现行的"有用的"扫描叫做"正电子放射断层摄影扫描"（PET）。它揭示了在完成记忆任务时血液流动和大脑中化学物质的变化。它帮助科学家们获悉在记忆研究时大脑中的化学系统与身体结构是如何相互作用的。

记忆的类型

1. 记忆库

我们的大脑已经演化到了有单独的部分处理来自不同感官和不同时间段的信息，并能分辨不同的重要程度。某个朋友的生日、某个商务约谈的方法，以及某个购物清单，都会被存储在记忆的不同部分里。

记忆力最简单的分类与记忆时效或记忆的持续时间有关。例如，短时记忆和长时记忆。短时记忆也可使用瞬时记忆（通过感官获取信息，使信息在神经系统里的相应部位保留下来的一种时间很短的记忆）和工作记忆等术语。瞬时记忆持续时间不足 1 秒。例如，电影就是利用人的视觉暂留这种瞬时记忆特性，把本来是分离的、静止的画面呈现在脑子里，成为连续的动作。记住一个即将要在键盘上敲的足够长的单词时，短时间足已。工作记忆也被称做短时记忆，它能持续足够长的时间，例如，拨一串刚才你所看到的电话号码或在一次买卖中一口说出应当被找多少钱。短时记忆能保留信息将近 20 秒，如果该信息被暗示或有意识地被重述的话，保留时间会更长。例如，你对泊车的地点的短时记忆，持续时间会比 20 秒长，因为醒目的标志像重复的暗示在不断提醒你。在长时记忆中被编码的信息可以被保留一生。一位能清晰地记着自己与配偶相遇日期的 90

岁的老人，她对此事似乎发生在昨天的鲜活记忆，显示了长时记忆
的持久性和能力。

　　另一种关于记忆的简单分类法是通过它被编码和读取的方式——自觉或本能的。同样，记忆既是外在型（也被称做公开型）的——可通过有意识的努力达到，也是暗示型（也被称做未公开型）的——可以有机或自动地达到。外在记忆功能，比如学习拼写、命令、注意力、注视和练习回忆。大多学校规定的学习内容都是外在型的。暗示型记忆功能，比如学习生火，从另一个角度说也代表了许多最初的记忆能帮人类保护自己，确保我们人类作为一个种类延存至今。

⊙时间的推移

　　随着时间的推移，你的有意识体验会着重停留在当时和当地。不管你刚刚的有意识体验是什么，都会被推移到记忆系统的另外一个部分，或被抛弃。你现在的短时记忆关注的是阅读。但是你还记得昨天晚上去看过一部电影，而这是你对某个生活片段的特殊记忆（对某人生活中事件的记忆叫做自传式记忆）。你可能还记得电影中的男主角是谁。一个月后，你还会记得自己看过这部电影，但可能记得的只是一个故事大概。一年以后，你可能会在租了一部电影录制光碟，并开始播放后，记起自己已经看过这部电影了。

　　当时："我昨天晚上看了奥尔森·威尔斯主演的《第三人》。"

　　六个月以后："我看过《第三人》，主演的是，啊，他叫什么来着？"

　　一年以后："我可能曾经看过《第三人》。"

⊙记忆库的种类

外部记忆主要有两类存储库。

语义性记忆库

它存储的是综合的世界知识。它有点像大脑中一本不断增长的

百科全书。任何种类与事实有关的知识本质上都是语义性的，包括事实（如法国的首都是巴黎）以及更多关于世界的基本知识（如知更鸟是鸟）。

经历性记忆库

它存储的是更加个性化的有关片段和事件的记忆：我们昨天晚上做了什么或者为 18 岁生日庆典做了什么、暑假去了什么地方，等等。

2. 为了记忆而记忆

一直以来，超常的记忆力都吸引着人们的注意力。这样的例子不少，罗马作家普林尼（公元前 23 ~ 公元 79 年）在他的《博物志》里曾记载波斯国王居鲁士能记住所有士兵的名字，数学家约翰·冯·诺伊拥有"照片式"记忆能力，2004 年的奥林匹克记忆冠军鲁迪格·加马拥有超乎想象的记忆力。

⊙专业性记忆

通常，出色的记忆力会让人肃然起敬。面对一个学识渊博的行家，我们总是钦佩不已。但不可否认的是，这样的赞赏有时候也带着不相信的惊讶，尤其是当某些东西在我们看来似乎不"值得"记住时。例如，听到一小段音乐就能说出作曲者，根据发动机的噪音就能分辨出不同时期的汽车类型等。有一点我们非常清楚，漫长的职业生涯有时候能带来超乎寻常的专业性记忆。

⊙脑力田径运动

日本官员黑地阿齐·托莫友日花了许多休息时间强记数字 π，1987 年他成功地复述出小数点后 40000 位数字，但这个纪录在之后被另一个日本人以 42195 位数字打破。1999 年马来西亚人西姆·伯罕复述出小数点后的 67053 位数，仅出现 15 处错误。

许多数字狂热者之所以醉心于"脑力田径运动",是仅仅出于兴趣,或是期望在世界纪录中占有一席之地,或是为了赢得一个冠军?在他们身上天生的才能好像并不必要,强有力的积极性就足够了。在很大程度上,好的成绩实际上归功于从古代开始就为人们所知的记忆法的巧妙运用,就像地点法。许多著名记忆冠军和众多记忆"奇才"都毫不犹豫地公开自己的作品、成绩或者组织培训班,以满足盲目追求改善记忆力的公众的需求。

⊙ 维尼阿曼的例子

然而,一些人似乎比另一些人更有记忆天分。所罗门·维尼阿曼·T是研究"天才记忆"最好的专家之一。1920～1950年间,俄国神经心理学家亚历山大·卢里亚一直对他进行跟踪研究。在短短几分钟里,维尼阿曼就能记住一长串单词或数字(有时多达400个),并且能在几年之后完整地复述出来。除了特殊的天赋外,他还利用了一些记忆策略,比如把每个词同一条臆想的路线结合在一起,第一个词和窗户联系在一起、第二个词和门联系在一起、第三个词和栅栏联系在一起,等等。有时他也会忘记,那是因为他把臆想的形态与颜色搞混了,例如放在白墙前的白色鸡蛋。实际上,维尼阿曼运用了联想,就是说他把每个词的形式或发音都转换成了不可磨灭的"形象"。这个奇才永远保存着对这些词的记忆。为了忘记它们,他必须有意识地努力把它们清除掉,他想象着将这些词列在一块黑板上,然后把它们擦去或者在它们上面盖上一层不透明的薄膜。出色的记忆使他因一个耀眼的职业而闻名,当卢里亚发现他时,他只是一个没多大天分的播报员,之后他凭借自己超常的记忆力成为一个知名艺人。

3. 短时记忆

了解短时记忆最简单的办法是把它当成存在于我们意识中的信息；它是对我们最近所经历的一些事情的记忆。短时记忆是一个工具，我们用它来记住电话号码，以便有足够长的时间去拨打电话，或者记住去一个不熟悉的地方该怎么走。

⊙记忆过滤

我们通过感官将信息摄入大脑。我们的意识只允许我们需要的信息通过——其他的就被过滤掉了。可能现在你就坐在客厅里，关心的只是你在读的书。暂停一下，并感受一下实际在你身边发生的事情——也许是你的伙伴翻报纸的声音、烧香肠的香味、隔壁孩子玩耍的声音，或者是你的电脑一直不断的"嗡嗡"的背景音。

现在让你的注意力重新回到书上来，渐渐地那些声音又会变得无关，于是也就不会让你分心，你的短时记忆又集中到了阅读上。这种过滤是记忆系统中至关重要的一部分，因为它让你的思维避免因为无关的信息而负载过度。

⊙短时记忆的容量

短时记忆的容量是有限的，大约七个空间，或者叫"意元"。例如，你可能记得住七个人的姓名，可一旦有更多的姓名，你就会开始遗忘。要使某样东西保持在你的短时记忆中，你就必须对它进行加工（有时也称之为加工记忆）。例如，如果你查到了一个电话号码，你就必须将它自我复述，以便能记住足够长的时间来拨打，这被称为再现。仅仅几分钟后，你意识中的这个电话号码就会被其他新进入的信息所代替。

⊙对信息进行编码

信息以几种方式进行编码后进入我们的短时记忆。

形码：我们试着将人名生成图像或想象他戴着一顶帽子。这种形象在几分钟后会开始淡去，除非我们使之保持活跃。

声码：这是一项最普通的技巧，用于使信息在我们的短时记忆中保持活跃。它包含重复信息，如姓名或数字。

意码：在这里我们运用了某些有意义的联系，例如思考一个有着同样名字的熟人。

⊙ 注意力

短时记忆是短暂的而且容易被打断。所以，注意力是能否让有关事情保持在脑海中的一个重要因素。它可能只有在你被分心时出现，让你感到你在"有意识地"进行记忆。下面是两个普通的例子：

电话号码

你在地址簿里查了一个电话号码。可正当你要拨这个号码时，你听到有人从前门进来了。你可能就需要再查一下这个号码。这是因为你正在活跃的记忆已经被打断而暂时失去了注意力。

"我到这儿来干什么？"

你正在厨房里整理一些文件并想到要一个订书机。当你走向书房取订书机时，你开始思考那天晚上的晚饭你可以做什么。当你走进书房时，突然发现自己想不起来为什么去那里了。很简单，你只是又一次分心了。

⊙ 潜意识记忆

有些信息可能在我们不知道的情况下通过了过滤而进入记忆。在 20 世纪 60 年代，电视广告制作者们提出了潜意识广告这样一个聪明的理念。例如，某个产品的图片、某个特定品牌的衣物清洗剂，会在电视屏幕上非常短暂地"闪现"。它可能在任何时候出现，甚至出现在一部电影的播出中间。它出现的时间很短，以至于我们不可能有意识地注意到我们看到了什么，但是，我们的记忆已经下意识地储存了这幅图片。

当下一次我们走进超市时，就会对这个品牌的衣物清洗剂有似曾相识的感觉，就会将它同其他产品分辨开来，从而使商家达到了促销的目的。有关方面开始担心这项技术可能被用于（可能实际上正在被用于）对人洗脑，因此该项技术被认定为非法。

4. 长期记忆

长期记忆能够帮助我们回忆或者再认出那些在几分钟、几个小时或者几年前获得的信息。它包括：情景记忆——储存的是那些构成你的自传的一系列生活事件；程序性记忆——储存的是那些使你能够从事机械运动（例如骑自行车）的信息；语义记忆——你的关于这个世界的知识的宝库。

当你使用那些为了某个特定任务而被永久储存的信息时，就会发生信息从长时记忆到短时记忆的转移。举例来说：当你要做一道几天前被详尽地解释过烹调方法的菜时，要做到记住配料和说明而不看任何笔记，就必须对它特别感兴趣，并且有很强的动机。

为了使信息不仅停留于短期记忆中，就有必要把信息传递到另一个更持久的系统中。长期记忆具有我们认为几乎无限的能力，它能够在一段时间后重组信息——一次会面、一个数学公式，或是游泳的动作——从几个小时到几天、几年，甚至有时长达几十年。

⊙ 两种不同的记忆方式

极少有人埋怨说忘了如何爬楼梯、如何从一个椅子上站起来或者如何刷牙。日常生活中对记忆的抱怨大多数是关于无法想起某个人的名字、某个字，或者一件近期发生的事。在个人经历方面，一个具有遗忘障碍的人将面临更大的困难。为了更好地解释这一现象，心理学家安戴尔·图勒温和拉里·斯里赫定义了两种不同的记忆方式。

陈述性记忆

"你去年去过哪个城市？""谁是现在的农业部部长？""《英雄》的作者叫什么名字？""恺撒是在哪一年死的？"对所有这些问题，我们可以用一个词或者一句话来回答。当然，我们也可以写出答案，在某些情况下还可以画张图或是在一张照片、卡片上指出来。但答案通常都是基于对曾经经历过的或者学过的东西有意识地回忆，并且能够通过口头的方式表述出来。这就是为什么称其为陈述性记忆的原因，也可以用"精确记忆"这一术语。

非陈述性记忆

操纵电视遥控器、使用厨房用具、骑自行车、系鞋带或者仅仅是走路，这些行为都不需要我们有意识地回忆相关的姿势或动作。即使我们可能记得当初学习这些行为时的情景，但更多时候我们只能以非常简单的方式对这些行为进行描述，并且倾向于演示示范。为了解释自由泳时腿的动作，游泳教练更多地会进行动作示范，而不是用长篇大论来解释。出于这个原因，这种记忆形式被称为非陈述性记忆或者隐性记忆。

⊙ 从生活事件到日常例行公事

1993 年 4 月 11 日我们去过纽约，《罗密欧与朱丽叶》的作者是莎士比亚，骑自行车的方法……所有这些例子都体现了对行为的记忆，但只有第一个例子是唯一真实发生过的，其他的例子似乎和个人特殊经历无关。并且，即使我们在日常用语中应用"学习骑自行车"这种表述，但当我们涉及"学习"这个词的时候，更多会联想到在学校学到某种知识，而非某种体育活动。那么是否对不同的事物存在不同的记忆呢？

研究人员对某些记忆障碍的研究证实了我们的假设。比如，某些健忘症患者只忘记了个人新近的经历、以前学过的文化知识，或

不同的记忆类型

外部世界的信息

重复的动作

感官记忆

短期记忆

长期记忆

情景记忆：时间和地点

语义记忆：一般文化事实

程序性的长期记忆

临时记忆

长期记忆
精确的、陈述性的

长期记忆
隐性的、非陈述性的

为了描述记忆的类型，心理学家设计了一个空间模型，如同一张房屋地图，每个房间代表一种记忆类型。

者某些特殊的行为方式。由此，科学家将记忆分成 3 种类型：对发生在特定时间和地点的事件的情景记忆，用来储存一般知识的语义记忆，以及为了完成一些重复性行为或者标准化动作的程序性记忆。

⊙情景记忆

情景记忆对应着我们在一个确定的时间和地点的特殊经历，上个星期我们看过的电影，或者去年夏季我们做过的事。这些经历构成了情景记忆的一大部分。

一个记忆的诞生

当我们记忆这些情景时，不仅记住了事件本身，还记住了当时的环境背景。例如，在我们回忆与朋友一起吃的晚餐时，我们还记得当时的灯光、声音、气味、味道等。同时，这些要素也在我们的记忆中留下了以后回忆的线索。在回忆时，我们就可以在以往的经历中定位："星期五晚上，我去大剧院看了一场极好的表演《图兰朵》，陪同的有小贝尔纳、安娜·玛丽、吉尔伯特、丹尼尔和雅克。"当然，对这样一个事件的记忆也保存有情感的因素。正如伏尔泰观察到的那样："所有触动内心的，都刻印在记忆中。"

记忆就这样保存着事件的主要方面，然而背景线索并不位于大脑的一个确定区域。因此，记忆的程序一点也不像以前描述的那样：在一个"仓库"里储存着记忆，每一个都有其特定位置，当我们需要的时候就"去那儿找"。

事件的不同方面存在于不同的大脑区域

我们在记忆时大脑是什么样子的？比如，在 7 月的一个早上我们看见花瓶里插着的玫瑰时。首先，对这个场景的感知需要我们不同的感官共同参与：嗅觉感知玫瑰的香味，视觉记录它的形状、颜色和在花瓶中的位置以及花瓶在房间中的位置。接着，形成各种记忆痕迹。有关玫瑰花香的记忆将存留在大脑的嗅觉区域。如果我们被玫瑰花刺扎了一下，感受到的疼痛记忆将保存在大脑的另一个区域。关于地点和时间的信息则被存储在大脑的前部……

大脑各个区域间连接的建立归功于神经元网络，每次记忆一条信息时神经元网络都会被激活。而在回忆时，右额叶会从神经元网络中的不同记忆痕迹出发，进行对场景的重组。

寻找遗失的记忆

有时候寻找遗失的记忆过程需要很长的时间并且很困难，因为必须要重新激活与之相连的全部神经元网络。但有时一个线索就足以唤回全部记忆。正如《追忆逝水年华》中所描写的，一小块浸入茶水中的玛德兰娜蛋糕唤醒了故事叙事者在贡布雷的整个童年世界，因为雷欧妮阿姨曾在给他一块相同的蛋糕之前把蛋糕浸入椴花茶中。

另一方面，分散储存使得记忆更稳固——大脑部分区域受损极少会造成一个人的全部记忆消失。但是，随着时间的推移，某些记忆痕迹的功用改变或者消除了，于是回忆变得很困难。

⊙**语义记忆**

大脑中其他被储存的信息普遍发生在学习的环境背景下，即一般的常识，比如《罗密欧与朱丽叶》的作者是谁，意大利的首都是哪……我们从多种渠道获得这些知识，如果这些知识只具有一般的性质，那么当时的学习背景会逐渐从我们记忆中消失。例如，我们很少能想起第一次听到"莎士比亚"或者"罗马"这些词的地点和时间。

有时候，关于时间和地点的记忆痕迹可以帮助我们找到一时遗忘了的东西：我们想起在一本什么样的杂志上读过，要找的东西就在某一页的上方。

什么样的信息储存在语义记忆中

语义记忆存储的不仅是某种类型的百科知识，或一般知识性的问题，还储存了个体在一段时间内的生活事实。借助语义记忆，我们可以给物体命名并将其归类（锤子、螺丝刀、锯子属于工具类），或者给某个种类列举例子（属于昆虫的有蚂蚁、瓢虫、蜜蜂等）。同理，当我们需要记忆一系列混乱无序的词时，我们可以先将其分类，这样就能更容易记住了。

对知识的良好组织

事实上，语义记忆中储存的知识相互联系着，按照逻辑与用途的不同形成复杂的网络（参见右图）。例如当我们想起"大象"这个词时，其他的概念（大象的颜色、形态或者与它相关的历史）也同时处于活跃状态："大象身躯庞大，它是灰色的，有两个大耳朵、

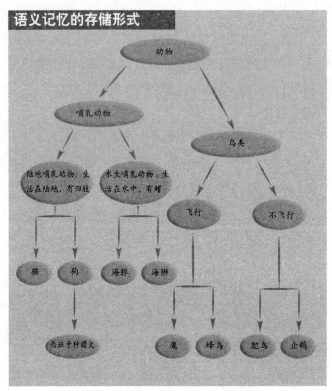

语义记忆的存储形式

⊙ 在语义记忆中信息是以树形图的形式存储的，每一个类属都存在一个代表性例子，例如海豚是水生哺乳动物的代表。

一个长鼻子和两根大牙，重量可达到 6 吨，拥有闻名于世的记忆力。公元前 3 世纪，汉尼拔骑着大象穿越了阿尔卑斯山……"

实用性知识的组织形式不尽相同。特别是在日常生活中，当涉及到一系列规范性的连续动作时，例如准备早餐、购物、组织聚会等。根据早已建立好的内在逻辑顺序，这些日常规律性的活动一旦开始，接下来的各个步骤便接踵而来，而不需要"图示"或者"脚本"。为了准备早餐，只需要开始第一个动作——在咖啡机里倒入水，这之后就不再需要任何注意力了，接下来的动作会自动执行，我们可以在这段时间去想别的事情。

⊙程序性记忆

第三种记忆类型通常在很大程度上脱离意识，如骑自行车、打网球、弹钢琴、进行心算、母语的正确使用，以及玩扑克牌等，这类活动一般都基于潜意识的记忆，所以很难对其进行详细的描述。这类活动的学习过程通常很漫长，需要经过无数次的练习和重复，而一旦掌握就很难忘记。但某些复杂的活动仍需要坚持实践：一个钢琴家如果不经常练习，他的演奏水平就有可能下降；一位高水平运动员如果缺乏常规的训练，他的成绩也将滑坡。

例行公事性的任务

在日常生活中"自动性动作"扮演着重要角色，让我们可以完成复杂的例行事务，而大脑却保持空闲去面对无法预知的状况。例如，开车时，我们并不十分注意控制方向盘、油门、指示灯等，直到发生特殊情况——一个孩子试图横穿马路——才需要我们动用所有的注意力并结束"自动驾驶"。

按照我们的习惯和偏好

潜意识的程序也是我们许多习惯和偏好的根源。我们能够记住一系列同等商品的价格，可以在比较某种商品时作为参考，比如哪家超级市场里的苹果更便宜。当我们不能够直接地应用这些程序时，比如由于货币的改变或者临时居住在外国，我们则显得特别地不相信自己的判断。尽管早在 2002 年初就开始推广欧元了，可是许多法国人仍然继续用法郎进行"思考"，特别是对非日常用品，比如房子或者汽车。

典型的适应状况

在吃完一种特殊的食物（例如牡蛎）后，我们生病了，从此只要看一眼这种食物就可能恶心。在俄国生理学家巴甫洛夫的实验中，

35

铃声一响起，那条已把铃声刺激同下一餐的来临结合起来的狗就开始流口水。在人类身上也能发现类似动物的这种典型的适应状况，这类适应状况有时候与由于特殊原因引起的害怕或快乐感有关。例如，如果我们曾被野兔咬伤，即使身处距离事故很远的地方，但是周围的树木或者气味与之相似，我们都可能会心跳加剧。

诱饵效应

我们也会无意识地记住一些信息（比如对话者领带的颜色），在以后某个需要的时刻，这些信息能够帮助我们更快或者更容易地回想起当时的情景，但是这些信息与我们有意识记住的信息具有不同的确定程度（"你的领带好像是红色的"）。

为了描述这一现象，科学家们提出诱饵效应。例如，一个填字游戏的答案是一条定义（比如生产、出售豪华家具），突然我们想到了一个在完全不同的背景下出现过的正确答案（"细木工"）或者类似的答案（"木工"）。有时候，这样的潜意识记忆让我们兜了"一圈"：我们以为自己找到答案了，事实上，答案是通过我们以前读过的一篇文章而得到的，只不过我们早已忘记自己曾经读过那篇文章。

⊙长时记忆

如果某个短时记忆重要到有必要保持得久一些，它就要被存储到长时记忆中。为了对长时记忆是如何工作的有个概念，想象一下某个记忆从前门进来，穿过走廊（短时记忆），然后来到一个房间被分类和存储。这个"记忆存储库"非常大，它有着许多相互连接的房间，以及几乎是无限的容量。

记忆的再现

记忆的存储虽然不如图书馆那么整齐，但也是有组织的。当我们想要再现信息时，就需要搜索它。有时我们发现马上就能找到，有时则需要较长的时间。

偶尔，你可能根本找不到你想找的。这部分是因为你学的越多，那么在你想要再现信息的竞争就更大。好比有一袋玻璃球，如果其中只有几个玻璃球，相互之间就很容易区分。袋子里的球越多，就越难将它们相互区分。

再现失败

有时我们会无法再现确定已知的信息。

"舌尖"现象——你确信自己知道问题的答案，可就是不能完完全全地将它说出来。

编码错误——有时我们对我们想要在以后再现的信息编码不够好。你认为自己已经理解了某件事情，可当你想要给别人解释这件事情时，却发现自己并没有想象中理解得那么好，也就是说还有距离。

5. 专业象棋师和运动员的记忆

第一印象中，一个象棋冠军和一个职业足球运动员之间似乎没有什么可比性。然而，他们所运用记忆的方式却惊人地相似。

⊙大师对新手

1965 年，心理学家阿德里安·德赫罗特曾策划了一个著名的实验。让 5 个大师和 5 个新手一起观看一系列国际象棋棋局，每个棋局观看 5 分钟，然后要求他们在一个空棋盘上重新排列出棋局。在第一轮测试中，大师们能够重新摆出 90% 的棋子，而新手只能摆出 40%。然而，当棋子以随机的方式排列在棋盘上时，大师和新手的成绩却是相同的。

大师胜于新手之处，在于他们懂得如何学习、辨认并且记住棋子的摆放，当然前提是棋子遵循一定的模式排列，比如一盘可以下出来的残局。我们猜测，在一个大师的记忆中储存着 10000 到

100 000 种棋子的摆放模式。由于扫一眼就能组合大量的棋子，凯瑞·卡斯帕罗夫在很短的时间内就可以分析出一个新手的棋局。几年前，科学家设计了一台名为"深蓝"的计算机，它能测算到每步棋的几千个可能位置，除了开局和结果。一个专业棋手有时候用几秒钟就能迅速确定那些制胜的布局，程序员成功地在"深蓝"上模拟了这部分技能，从而使得电脑战胜了国际象棋大师凯瑞·卡斯帕罗夫。

⊙齐达内会怎么做

⊙ 齐达内冲出来，突破后防线，在两个后卫中间的空档起脚射门！一个有经验的职业足球运动员不仅有着良好的体力，而且快速分析的能力也是必不可少的。

面对重现比赛情景的图像，当被要求说出一种让球员更好地控球的动作时，传球、护球还是直接射门，球员和教练给出的答案与外行人不一样。专业人员给出了更恰当的建议。这是 2003 年 3 个研究者从对一支球队的实验中得出的结论，出现在照片上的比赛状况完全符合专业球员的猜测，而外行人却猜错了。同时，专业球员学习起来也更有效率。当过了一段时间后，再次向他们展示同一张照片时，专业球员更快地给出了答案，这表明他们在第一次时已无意识地记住了。并且对这些职业球员来说，他们的运作记忆被干扰时也同样能够保证效率，因为他们被要求同时完成口头和视觉任务。

⊙获得专家式的记忆

其他集体运动的专业运动员跟足球运动员一样，当被要求准确地记住运动的顺序以及在场地上移动的初始位置时，他们总是比新手表现得更好。滑冰运动员和体操运动员——也包括体育记者评论他们的技能——能更轻松地掌握表演姿势，但是，和在象棋案例里一样，他们的优势仅局限在与自己的专业相关的运动形态中。

正如各行业的专家们一样，运动员培养了"获知－行动"的能力，但这种能力基于普通的能力：扎实的基础要以多年的努力为代价。由于定期训练，他们能更好地专注于特殊的领域，并且能更强地在精神层面上"操作"这些能力。尽管如此，这些能力不能移植到他们专长之外的领域：专家的记忆只在自己的专业领域令人惊奇。

6. 莫扎特的传奇记忆力

无需乐谱，勃拉姆斯就能够演奏巴赫和贝多芬的全部曲子，交响乐队指挥汉斯·翁·布隆也可以指挥瓦格纳创作的整部《特里斯坦和伊索尔特》，莫里茨·罗森塔尔能演奏肖邦的所有曲目……音乐家的记忆有时候可列入传奇。

在意大利小提琴演奏家特利纳萨奇的要求下，莫扎特在1784年晚间音乐会的前一天创作了降B大调钢琴和小提琴奏鸣曲。但他只写下了小提琴那部分的谱子，以便特利纳萨奇可以在早上准备。在第二天晚上的音乐会上，莫扎特亲自用钢琴在奥地利皇帝面前伴奏。当皇帝要求看钢琴曲谱时，却只有一张白纸……事实上，大多数音乐家、作曲家或者演奏家对这个传说并不感到惊讶，他们自称同样也可以做到。但是，根据传记，早在14岁的时候，莫扎特就表现出了超凡的记忆力。

1769年，在父亲的陪同下，年轻的沃尔夫冈·阿马戴乌斯·莫扎特从萨尔茨堡出发，进行了15个月的旅行穿过意大利。1770年4月11日，他们来到罗马，这时正值复活节。和其他游客一样，他们参加了在西斯廷教堂举行的从星期三到星期五早上的圣礼拜庆祝，伴随着格雷戈里奥·阿列格里（1582～1652年）的《上帝怜我》。

这部音乐作品没有任何乐器伴奏，是一部带有四声部重唱的五声部合唱歌曲，在欧洲以其优美的旋律而著称，同时也被蒙上了神秘的面纱。

教皇明令禁止在西斯廷教堂和圣礼拜之外唱这首曲子，并严格禁止任何人将此乐谱抄写外传，违令者必受革出教门的重罚。在当时只存在 3 份正式复制本：一份给了葡萄牙国王，一份为马丁尼教士拥有，而他被认为是意大利最伟大的作曲家和教育家之一，第三份存于维也纳的皇家图书馆里。

奥地利皇帝利奥波德一世（1640 ～ 1750 年）游览罗马时，贵族们向他讲述了那部超凡脱俗的音乐作品，于是他向教皇要了一份作品的复制本。但是，在维也纳的演出使利奥波德一世非常失望，他以为复本弄错了。因此，他向教皇抱怨，要求立即解雇提供副本的教堂主人。这个不幸的人于是请求听证，并向教皇解释说作品的美源于教皇合唱团的歌唱技术，而这是无法在任何乐谱上标明的。于是，教皇允许他到维也纳为自己辩护，最后教堂主人获得了成功，之后重获职位……

我们再回到莫扎特。星期三，当年轻的天才听完《上帝怜我》后，回到在罗马的居室里他凭记忆将整部曲子写了下来。星期五，他再一次回到西斯廷教堂，并把手写本藏在帽子里，以便修改一些错误。4 月 14 日，他的父亲利奥波德给妻子写了一封信："……你经常听说的著名的《上帝怜我》禁止任何演奏家演艺，也极少复制给第三者，否则会被驱除出教会。但是我们已经拥有它了，沃尔夫冈抄录下来了。如果我们的在场对演奏不是必要的，我们将通过这封信寄回萨尔茨堡。但是，演奏对它的影响比作品本身大。另外，由于这涉及罗马的一个秘密，我们不希望它落到别人手中……"

莫扎特和父亲继续在那不勒斯游历，然后又回到罗马，并在波伦亚度过了剩下的假期。他曾向《上帝怜我》的一个拥有者马丁尼教士学习过，还结识了英国著名的传记作家和曲谱家查尔斯·伯尼博士。伯尼博士到法国和意大利游历，为一本关于这两个国家音乐状况的著作收集资料。1771 年底，伯尼博士回到英国后出版了自己的游记，以及圣礼拜时在西斯廷教堂演奏的音乐作品集，阿列格里的《上帝怜我》也在其中。伯尼博士的作品集结束了教皇对《上帝怜我》的垄断，在这之后，这部作品被无数次地印刷。

关于伯尼博士是如何获得复本的，存在着许多猜测：是来自梵蒂冈的教堂主人桑塔雷利？还是在看了莫扎特的手记，并与马丁尼拥有的副本做了比较后，出版的删改本？伯尼博士的版本不同于其他已知版本——官方的或者"盗版的"，可是为什么缺少了合唱团成员加上的"装饰音"？是否正如某些假设那样，伯尼博士想保护莫扎特，避免这个天主教国家的年轻公民被驱逐出教会？甚至他是否毁坏了莫扎特的手记？

所有这些假设依然存在，因为莫扎特的手记似乎并没有幸存，而它的不复存在同时又导致了所有关于这个手本真实度的争论落空。因而，问题的关键就在于，是否年轻的天才在 14 岁时就真的拥有如此超乎寻常的记忆力……

7. 自传性记忆

对于大多数人而言，"记忆"一词最先能让我们想起的是个人世界，我们自主地保留着对自己实际经历过的事件的记忆。然而，简单观察一下就会发现，这种记忆不仅仅由一系列实际发生过的事件组成。

⊙自主与不自主记忆

当我们回忆过去时（例如很久前与朋友的一次晚餐），经常需要几秒钟的时间才能想起细节。事实上，我们先要经过一般性的回忆进行确认，比如是在生命中的哪个时期发生了这一情景（我们是学生的时候），然后上溯到同一类属的事件（在这个时期与朋友的聚餐）。就这样以精神努力为代价，我们找回当时的片段。这个过程有时非常艰难漫长，需要集中注意力有意识地进行记忆重组。一些记忆可能被扭曲，而承载着深厚感情的（我结婚的那一天）往事就能够快速地被想起。

对许多往事的回忆都是由一些同时出现的特殊迹象引发的：一种气味、一种味道、一段旋律、一个词语，或者一种想法、感情或思想状态。在马塞尔·普鲁斯特的小说《追忆逝水年华》中有许多这类的描述：玛德兰娜蛋糕放入一杯茶水中、从佩塞皮埃医生的汽车中观看马丁维尔的钟楼、香榭丽舍大街一个公共洗手间的气味、勺子与餐碟碰撞的声音……作者用了"自主"和"不自主"这两个术语来区分不同的记忆重组方式。

⊙情景记忆和语义记忆之间的差别

情景记忆使我们能在脑海里重温某些情景，有时伴随着发生在特定时间和空间里的细节（我在学校的第一节课）。这些记忆再现通常由心理图像引起，但是我们也能找出和当时有关的感情或情绪。

在语义记忆中，关于我们自己的信息（周围人的名字、我们的爱好等）和一般事件的信息（我们在乡下过的周末、在学校的生活等）是以互补形式存储的。因此，重溯一般性事件其实是为了找回拥有共同特点的特殊事件。不容忽视的是，情景记忆和语义记忆之间存在着相互过渡和转化。

演员的视角与观察者的视角

受情感重大影响的事物带着大量细节被持久地保存在我们的记忆中，这些情感的印记以强烈的再现感为特征，即表现为确切意识状态的再现。在这种情形下，我们倾向于依靠记忆中所保存的和最初事件相同的观点来重现片段。这种"演员的视角"被认为结合了片段记忆，而"观察者的视角"（就像我们看电影那样）则更多地体现出语义记忆。

年龄与自传性记忆

一般来说，情景记忆历时越久，就越难以被忠实地保存，但是也存在许多例外。在 3 ~ 4 岁前，记忆是罕有的（儿童记忆缺失）。10 ~ 30 岁之间构筑的记忆能保持得较为生动，40 岁后这些记忆将在回忆中占相当大的比例，心理学家称之为"记忆重生的顶峰"。因此，人生的这个阶段对构筑我们个人的特征是具有重大意义的。衰老对我们重温特殊事件（情景方面）是不利的，但却不影响我们回忆一般性事件或者个人资料（语义方面），比如周围人的名字。

承载着深厚感情的事件通常能被很好地保存，然而，太强烈的

这个曲线展示了一个人在50年里，其自传性记忆随时间推移的变化趋势。可以看出，随着时间的推移，记忆的数量在减少（1），在 10 ~ 30 岁之间编织了最多的记忆（2），而在 3 ~ 4 岁前个人记忆几乎缺失（3）。

感情有时会导致相反的效果。例如，抑郁有时候会引起情景记忆的衰退。

近事遗忘症

自传性记忆可能遭遇的主要障碍是近事遗忘症（一种由突然的脑部损伤引起的对既得信息的遗忘），这种病症可能影响识别能力。情景记忆的缺失是这种病症的表现之一，但语义记忆通常不受影响。一些解剖学和临床数据以及功能图像显示，在回忆自传性的情景时，额叶和颞叶右前部的连接处扮演着重要角色。

⊙如何评估自传性记忆

可以通过多种方式来测试自传性记忆受损或者保存的能力，最常用的诊断方式是关于不同生活阶段的问卷调查。除了最近的 12 个月，童年到 17 岁，18 ～ 30 岁，30 岁以上，最近的 5 年，都被认为是特殊的时期。医生或者心理学家详细地询问被测试者在每个生活阶段发生的特殊事件（例如一次印象深刻的相遇），并且让他们说出具体的时间和地点，然后将结果与其他家庭成员提供的信息做比较。

其他测试方法还有向被测试者展示一系列的词（街道、婴儿、猫等），然后要求他们说出第一次接触这些词的情景，并确定具体时间；又或者评估他们表述一系列情景的能力。测试较少用个人线索（照片或者家庭轶事）来引发回忆，但是得到的结果与其他的测试方法几乎无差别。

8. 前瞻性记忆和元记忆

当回忆过去的生活情景时，思维似乎自然地转向过去。然而，在回溯性记忆之外，还应该具备前瞻性记忆，它对我们的生活来说也是必需的，因为它能使我们想起在未来应该履行的行为。

前瞻性记忆的运行

内部线索
10分钟后我应该……

意图
在恰当的时候我必须……

行动的内容
关闭烤炉……

外部线索
定时器的铃响

⊙ 前瞻性记忆存储的信息应该表现为：要履行的行为和应该实现的时间，以及开始的最佳时间。

⊙记住将要做的事

"不要忘记带面包回来""要记得去投寄这封信""中午不要忘记吃药"……查看日程簿是用来减轻记忆压力的最广泛方法。为了确保其有效性，前瞻性记忆存储的信息应该表现为：要履行的行为和应该实现的时间，以及应该开始的最佳时间。前瞻性记忆的有效性只有在想起的那一刻才被确定，因此，在记忆时动机和背景是首要的。一旦我们拥有一个填得满满的日程表，就要时不时想着去翻看。

每个人都对不时会忘记做一些事情而感到负疚，而且这还令人非常沮丧。这种类型的记忆的好处是易于改善。只要稍微有点条理，再加上一些简单策略的帮助，就可以提高这方面的记忆。有时，生活似乎被许多小事所占据，"有条理"可以帮助你清理思路，以便处理更为有趣的事情。

为什么我把手巾打了个结？

这个象征性的"结"表明线索的重要性与直接关联性。事实上，所有记忆都通过线索被异化了，这些线索或者来自于外部环境，或者是由我们自己创造的（明天我应该……）。如果需要找回的记忆缺乏外部线索，那我们将更多地依赖内部线索。

经过面包店这样的简单事实，可以帮助我们建立有效的外部线索来使自己想起应该买面包。当所要实现的是一系列相互联系的行为中的一部分时，记忆重现通常是比较容易的。例如，当我们已经花了许多时间调制正在烤的面包时，很少会忘记在恰当的时候关闭烤箱。然而，买蛋糕是一个相对孤立的行为，因此我们极有可能忘记。

我们可以利用某些工具或者自己创造一些线索，比如做饭时使用定时器，又比如在手帕上打个结。一定要选择好辅助工具，因为这些工具不仅要具备时间提醒功能，还要让我们知道该做什么。这种情况下，在手帕上打个结表达的内容就不那么详细和明确了。

⊙元记忆

所谓元记忆是指对记忆过程和内容本身的了解和控制。换句话说，元记忆是有关记忆的知识。个体对自己的记忆功能、局限性、困难以及所使用的策略等的了解程度就代表了他的元记忆水平。以下是元记忆参与记忆的 3 个阶段。

（1）学习：知道怎样学好某条信息。

（2）储存：知道自己认识某条信息。

（3）重组：知道如何重新找回某条信息。

达利出生于哪一天？

对于"达利出生于哪一天"这个问题，可能大部分的人会回答"我不知道"，并且不会在脑海中去寻找答案。是元记忆给了我们一个确定度，去判断是否有机会找到某条信息，或者想起过去和即将发生的事。没有元记忆，我们将一直处在徒劳的寻找中。

当我们评估自己拥有的文化知识时，元记忆就开始工作了。它总是参与我们的决定，包括最实用的那些。在使用新洗衣机前是否应该阅读说明书？在女儿去学校前是否应先在地图上查看下路线？

在填写字谜时是否有必要查阅字典？为了理解一篇文章，是否最好从浏览图表开始……

对策略的恰当评估能使我们的记忆更有效率，并且能改善我们获知和回忆的能力。

一种脆弱的记忆

儿童的元记忆很模糊，他们总是被教育不要忘记一切。事实上人们高估了孩子的记忆能力。事实上，直到 7 岁左右，随着年龄的增长，孩子们的记忆力才会伴随着判断力的增强而加强。而另一方面，从某个年龄段开始，我们越来越难以正确判断自己记忆力的极限。当然这也因人而异。

如果说回溯性记忆把我们带回过去，前瞻性记忆把我们带去未来，那么元记忆则告诉我们目前的记忆能力。

9. 终极记忆

许多人不重视与特殊记忆相关的一些奇异的特性，如被科学家发现的增强记忆，只是一些普通记忆达到极限值。以表现为根本出发点的记忆术研究者们一定会证明我们记忆的伟大潜力。但是有的人怀疑他们的能力是耸人听闻的，只是为了达到娱乐的目的。众所周知，图像记忆是把更加准确清晰的印象像抓拍一样快速记忆到脑海中。异常清晰表明记忆确实可靠的意思。但是任何人的记忆都不是可靠无误的。所以即使人们脑海中的一个图像和人们最初的记忆一部分相一致，也有发生错误的趋势。失真和省略经常发生，但是通常短期记忆就不会有这种情况，一旦被长期记忆，即使是记忆天才也不可能记住。

然而，一些人确实证明了这种超乎寻常的记忆能力。拥有终极记忆能力的人往往会夸大他们的一个或多个感官感觉。例如，脑海中清晰的图像就意味着视觉感官中的真实画面。另一些记忆天才都拥有特别的听觉、嗅觉、味觉或者综合感官能力。据估计，50万人中有一人具有天生的共感官能力，而且他的感官能力会不知不觉地交错在一起。就这样，他们把词汇、声音、实物与颜色、味觉、形状联系到一起进行终极记忆。

除了一些极少的例子外，会终极记忆的人最有可能自觉或不自觉地运用记忆术。尽管大约5%～10%的儿童在童年时有这种特殊记忆，但是当他们长大之后就失去了这种能力。这个事实证明了一个理论，即我们都有很多未被利用的记忆潜力等待开发。

10. 感官记忆

外部世界带给我们的感觉信息构成了我们的记忆，我们的5种感官——视觉、听觉、触觉、嗅觉和味觉是记忆的主要入口。但是，通过感官感知而记忆的东西绝不能和相片或者录音磁带相比。感觉信息在大脑深处被分析，然后彼此之间建立联系，在与其他信息比较后，被烙上感情的、形态的（地点）和时间的（日期）印迹。一般来说，这些程序在每个人身上都是一样的，但是每个人的感官能力似乎并不相同。

⊙感官的专业化与缺失

受雇于赌场的能够过目不忘的人、拥有绝妙的耳朵的音乐家、拥有特别敏感的鼻子的香水调剂师等，我们都知道或听说过这种拥有超常视觉、听觉或者嗅觉记忆的人，他们某方面的感觉能力强于一般人，然而能用触觉或味觉创造价值的人就较少见了。一些理发师说，他们一拿起剪刀就知道那是不是自己的私人剪刀。

同时，一种超乎寻常的技能似乎总是与另一种感觉方式的缺失联系在一起。例如，天生失明的人成功地发展了在空间、听觉和触觉记忆方面比视力正常的人更高的技能。但是失去一种感知方式和本身缺乏是不一样的，比如用布莱叶盲文进行触摸式阅读，大脑视觉区无疑也参与了某些语言能力的管理。

接下来，我们将简单介绍视觉、听觉、味觉与记忆的关系。

⊙ 视觉记忆

英国作家卢迪亚·吉卜林（1865 ~ 1936 年）在他的小说《吉姆》中，详细描写了少年英雄吉姆如何坚持不懈地记忆放在桌子上的物品，然后再找出缺少的东西的过程。经过不断的训练，吉姆获得了一种超常的技能，他能够记住所有看过的细节。

图像记忆

在一个实验中，研究人员向志愿者展示了 2500 多张幻灯片，每 10 秒钟换一张。然后，将每张幻灯片与一张新的幻灯片混合在一起，要求被测试者指出熟悉的那张，即他们之前看过的那张。结果非常令人吃惊：几天后，90% 以上的图片被认出；几个星期后，仍然有很大比例的图片被认出。之后再用 10000 张幻灯片做类似的实验，同样确认了视觉识别不同寻常的效率。

如此熟悉的活动

观看是我们非常熟悉的一项大脑活动，以至我们有时候忘记视觉在记忆过程中扮演着重要角色。信息进入大脑被处理和存储后，就不再依赖语言了。为了解释视觉记忆的运作过程，神经心理学家将视觉记忆（或视觉 - 空间记忆）同行为记忆进行了比较。视觉记忆能让我们在头脑里"操纵"抽象的图案或路线，而行为记忆则是依靠语言来理解话语的内容和各种视觉信息。

事实上，重要的是不要混淆了视觉信息与视觉记忆。视觉记忆大多数都是按照双重编码的原则来处理词语、图案、照片或者真实的事物等视觉信息。在大量实验中，神经心理学家揭示了双重编码的优点，这种编码方式能将形象信息（形态、尺寸、布局）与动作信息组合在一起。

自闭症患者的记忆：对细节敏锐的感知

人们有时用"照片式"记忆来引出自闭症患者典型的精确记忆。

自闭症是一种发育缺陷，会阻碍患者与社会的互动、对外界情感的反应和与他人的沟通。但这种严重的功能障碍有时却伴随着非凡的音乐记忆能力或"照片式"记忆能力，后一种记忆能力使患者能用复杂的图像表述出记忆里的少量细节，或者毫无困难地进行大量的计算，就像电影《雨人》中达斯汀·霍夫曼所饰演的人物那样。

为了解释这种自发而非凡的能力，神经心理学家提出"表面的记忆"，这种记忆并非想要脱离图像的整体感觉或整体形态，而是试图结合更重要的细节来创造"心理图像"。面对一幅画时，大多数人都是在集中注意力于总体形态后，再试图把握其中的细节，而自闭症患者在没有总体视觉的引领下将同等对待所有细节。因此，在处理信息的第一步，自闭症患者表现得更好，而正常人"消耗"的精力是为了获得更整体或更多的感官信息，以此简化记忆。有些研究人员还认为，自闭症患者越是与世隔绝，越是容易出现运作记忆障碍。

记忆面孔

在图像记忆方面我们是天生的行家，但是我们中有些人在某一特定方面表现出更高的能力，如记忆面孔、建筑物、风景等。这种能力有时候是训练的结果，正如吉卜林的小说中描绘的那样，但是好像真的存在一种"天赋"，比如在过目不忘的人身上。

我们越是能从几千张脸中毫无困难地认出熟悉的那张，越是难以用言语对其进行描述。在描述时，我们通常会提取整体特征，眼睛、胡子、眉毛、痣等，在辨认面孔时语言似乎扮演着次要角色。

辨认面孔的能力很早就在儿童身上得到发展，研究表明6～9个月大的儿童比成年人更容易记住周围人的面孔。

⊙听觉记忆

"如果钢琴演奏家想演奏《瓦尔基里骑士曲》或者《特里斯坦》前奏曲，威尔杜汉夫人称道，不是因为这些音乐使她不高兴，而是因为它们给她留下的印象太深刻了。'您关心我有偏头痛吗？您知道每

⦿ 演奏小提琴不仅需要听觉记忆，还需要触觉和视觉记忆的参与。

次他演奏同样的东西时都一样。我知道等待我的是什么！'"（马塞尔·普鲁斯特，《在斯万家那边》）

情绪——理解音乐的关键

情绪与音乐之间的关系是复杂的。一方面，听一段音乐或进行一次与音乐有关的实践（如唱歌或演奏乐器）会引起一些感觉（比如兴奋或放松），我们根据当时的情绪来阐释这些感觉，并且从此以后我们会把这些感觉与听到的或自己演奏的音乐联系起来。

另一方面，在精神层面，我们大多数人都能够预测一段音乐接下来的部分，"我知道这段之后，铜管将进入交响乐中"或者"节奏将加快，声音将变得更高"。然而，这种才能似乎并不来源于我们受到的音乐教育，而是来自我们从管弦乐中自发得到的"感觉"。

事实上，一段著名的乐曲产生的"震撼"很大程度依赖于我们的精神活动。神经心理学家观察到，某些患者的听力感知（对一段旋律、节奏、音色等）虽然保持完好，但他们失去了听音乐的快乐

感。患者自己解释说，他们"不再能理解"不同乐器之间的音乐关系，并且他们也不能再"预知"一段音乐将如何演进。

不同的倾听方式

每个人的音乐才能都不同，一些人似乎比另一些人更有天分去记住一段旋律或者辨认音色。如何解释这些不同？研究人员从对音乐家的观察中发现，他们是以不同常人的方式听，更确切地说是他们"看"所听到的音符，音符对他们来说就相当于"字"。医学图像通过对大脑刺激的研究证明了这些假设，医学刺激利用的是视觉或语言资料。

即使周围存在干扰噪音，职业的或者业余的音乐家都能成功地在意识中保留旋律，而其他人则做不到。在任何情况下，音乐家们都能毫无困难地进行记忆，除非他们同时听到另一段相似的旋律。

记忆和音乐曲目库

得益于我们储存在语义记忆中的理论知识，当我们听到一段旋律或者一个作品时，就会感到熟悉，甚至能够确认其曲名、作曲家或者演奏者。对于那些长期演奏同一种乐器的人来说，曲目库是随着日积月累的实践构筑的。

语言和旋律是两种不同的听觉记忆吗

对旋律的记忆是否比对语言的记忆更持久？专注于歌词和旋律之间关系的神经心理学研究表明，对歌曲的记忆实际上与这两个方面紧密结合，尽管对旋律的记忆在时间上更持久。大脑受损的音乐家能够继续从事音乐活动，但从此再也不能理解歌词或话语。因此，语言和旋律可能以独立的方式保存在长期记忆中。

如果一段音乐在记忆中能保存很久，那毫无疑问它依靠了与语言信息相关的编码，特别是情感信息。某种声音（亲属的声音、环境里的声音、旋律）与某种情感（是否快乐）联系在一起，会对巩固记忆大有帮助。另外，这样的声音现象不需要以有意识的方式被感知也能永久地被储存，而"普通的"听觉信息（如要记下的电话号码）需要意识的参与，因为它们依赖运作记忆。

⊙ 嗅觉记忆

《追忆逝水年华》中写道：每次在贡布雷游览时，"我总不免怀着难以启齿的艳羡，沉溺在花布床罩中间那股甜腻腻的、乏味的、难以消受的、烂水果一般的气味之中"。

气味，记忆的要塞

马塞尔·普鲁斯特的这段文字，总结了嗅觉记忆的许多特征。

持久性：多年后仍能精确地描述出最初的气味感觉；

幸福的基调：与情景之间的联系；

联觉的特质：能让各种感觉相互联系。

气味是记忆的"要塞"，特别是当记忆痕迹产生于孩童时。我们每个人在成人后，都有突然想起一件极为久远的事的经历，有时候通过一种香水气味、一个房间或者一个在柜子底下找到的毛绒玩具而引发。

幸福的记忆

大多数的嗅觉记忆都是幸福的，唤起曾经"垂涎欲滴"的生活事件。哲学家加斯顿·巴舍拉（1884～1962 年）曾说，当记忆"呼吸"的时候，所有的气味都是美好的。

事实上，通过对 500 多个学生的问卷调查得出的结论是，他们的嗅觉记忆大多数时候是愉快的，无论在所记忆的内容方面，还是在与之相关的情景方面。在儿童身上，常常是重新想起假期、旅游、大自然（大海、山、乡村等）以及家人（父母和祖父母的气味、家庭聚餐、家人的房间等）。

奇怪的是，在一些情况下，也有人把公认为难闻的气味与快乐的经历联系在一起。例如，粪坑的气味让人想起在农场度过的一个假期，氯气让人想起游泳池的游戏。

正如这些联系所展现的，我们在记忆的同时刺激了所有感觉和感情的背景，多个大脑区域参与了嗅觉信息的处理——丘脑、淋巴系统等——烙下了气味的感情价值，聚集了各种感觉信息，因此这些记忆从来都不是纯粹嗅觉的记忆。

嗅觉记忆与其他感觉

嗅觉记忆总是处于其他感觉的中心。例如，在吃饭或喝饮料的时候，如果没有通过鼻后腔的嗅觉信息，就会失去许多其他的感知能力。

同时，其他感觉反过来也会对嗅觉产生影响。例如，医院的气味会引起难以消化的感觉。一个护士这么描述病人的坏死给她留下的印象，"一小块一小块地吞噬着肌体"。另一个护士回忆说，让人难以忍受的气味"注入"了她的衣服和皮肤里。

事实上，似乎很难想象出某种嗅觉记忆，因为它并不以具体的形式同时出现在我们的记忆与身体的某个部位中。但是，嗅觉的特性确实在记忆过程中发挥了很大的功用。

11. 记忆的其他类型

还有其他几种记忆模式，它们帮助我们成功地进行每天的日常生活。

⊙预先记忆

你还需要知道有一种十分古怪的记忆，它是短时记忆和长时记忆合作的产物。这就是你对未来的记忆（对尚未发生的事情的看法），名字叫预先记忆。它包含你下周或是下个月打算干什么，以及你对未来的计划、希望和梦想。

⊙计划性记忆

计划性记忆是对在合适的刺激下自动激发的行动的汇总。例如，如果开车时看见前面有红灯，你会自动地开始刹车。

⊙剧本式记忆

与剧本式记忆有关的是发生在特定的一些社会场景中的事件。它们对得体的行为举止有着影响，并且是处理日常情况时所需的那一类综合性记忆。例如，当你走进一家餐馆时，你知道通常需要坐着等一会儿，然后有人会给你一本菜单让你点菜，然后服务员会将你点的菜端上来，而且按照一定的次序，最后是埋单。

⊙脑海中的地图

我们关于周围环境的知识也会在脑海中被组合成地图。例如，当你搬到一个新的地方后，会感到有点陌生，对周围的道路也不了解。然而，当你在那儿住上几星期后，就会逐渐地越来越熟悉街道的分布、上哪里去买东西，以及如何去某个地方。你有效地在脑海中建立了一幅地图。

⊙反身型记忆

反身型记忆也被称为应激反应，是人类生存的基本要素。这种暗示型的记忆路径及时并且本能地对信息进行编码、储存、重新提取。它最基本的功能是使我们远离伤害。比如，尽可能地使自己的手远离火炉；或者当一个人在你的眼前摆弄着一条蛇，你会大喊。恐怖的场景、刺耳的声音、强烈的感情，这些都可能

◑ 反身型记忆由强烈的感官刺激形成。例如，对真的或想象的蛇的恐惧，可以持续一生之久。你害怕什么呢？

成为反身型记忆伴随我们一生。那些经历可能会使我们一生都有某种恐惧症和持续的毫无道理的害怕。同样，当某种气味、场景、味道、歌声引发出一种核心的感触，这种反身型记忆也会形成一种强烈的感官记忆。例如，一个房子里面，炉子上炖着鸡汤，就会让我回忆起妈妈在我发烧、抑郁及患其他疾病时的照顾，以及那种温馨的感觉。尽管反身型记忆大多数情况下是在不知不觉的情况下形成的，我们仍然能通过不断的重复，通过抽认卡的学习方法进行训练。任何程序只要重复得足够多，都可以成为反身型记忆。

一个职业棒球手不用在挥棒之前去分析快速球，确切地说，他在日常训练中数不清的击球已经强化了他的反身型记忆。同样，伸出手去摇动某人的手是一种反身型的行动。反身型记忆的亚类型通常包括感情记忆、闪光灯泡记忆。

感情记忆

感情记忆也被称为情绪型记忆，指的是因强烈的感官刺激而储存在大脑中的信息。从外伤到愉悦，这种直接的路径可以产生快速的知识。下面的两种清楚的记忆亚类型——语义记忆和插语记忆，代表了大部分我们在学校学到的知识和从日常生活经历中得到的知识。

闪光灯泡记忆

对极端震惊事件的生动回忆，经常是存在于许多人的记忆中。比如"挑战者号"爆炸，或者严重的自然灾害。事件以一种生动的形象被记忆，就仿佛时间在那一刻冻结了。尽管记忆会使我们的感情长时间保持着，但是长期的研究证明，细节上的准确性会慢慢地减弱。

⊙多种记忆类型

为了更好地认识上述的各种记忆类型，我们可以将一个生活中的早晨作为小说的章节。

杰西被从窗子透进来的阳光照醒，说明已经过了平时起床的时间（外在的，视觉记忆）。当他意识到闹钟坏了，他马上从床上跳了下来（反身型记忆）。为了报告停电，他找到了电力公司的电话号码，并在拨号之前重复了几遍（语义，工作记忆）。因为工作要迟到了，他打了脑子里记住的办公室电话（语义，长期记忆）。他察看了日历，看是否错过了什么约会（外在的，视觉记忆）。杰西不必经常停下来考虑如何准备他早晨的咖啡（暗示，程序型记忆）。但是今天他面临了电的问题，他无法使用电咖啡壶。他想起上周野营的时候买过速溶咖啡（插语记忆），这提醒他炉子是使用煤气的，不是电的（语义记忆）。杰西把茶壶灌满放在炉子上，当他听到沸腾声，他去拿茶壶，但是在碰到茶壶之前就把手缩了回来（反身型记忆，应激反应）。他很快地穿上了衣服，并开车去上班（暗示的，程序型记忆）。在办公室，他想起来下午要提交公司年度审计报告。杰西通读了一遍报告，并做出了一个提纲好记住它（外在的，语义记忆）。他想起总裁说过报告中最关键的部分是"公司的高增长率"（语义，听觉的/词汇记忆）。他做了一个"精神上的注释"（提示他的记忆）用来结束他的陈述。仅仅上午10点，杰西就已经使用了多种记忆类型了。

第二章
忘记或记忆丧失

我们为什么会忘记

1. 舌尖现象

仿佛自相矛盾似的，记忆的一个方面存在于遗忘。实际上，要冒着记忆饱和的危险而记住每天所有影响你的信息是毫无意义的。这并不是说你不能借助于好的"拐杖"，或者不能同时做几件事情来确保你记忆力处于良好的状态。尽管有时候我们想要记住东西的欲望被我们的潜意识所阻止，但那些被抑制的信息仍然在那儿。

⊙正常遗忘

记住你在上下班或者上下学途中遇到了多少个红灯有什么意义呢？不管怎样，你当然看到并且记住了它们，但是这些信息只是被短暂地使用一下，很快就会被消除。

所谓的正常记忆，是消除了你一天中所接受信息的90% ~ 95%。这种积极的遗忘，通常被叫做选择性记忆，它事实上是保留日常生活中那些重要信息的一种方法。没有它，你的记忆就会达到饱和。

这种积极的限制过程在每个人身上的表现是不一样的。有的人能够回忆起大量的细节。比如，他们会向你描述你们见面时你的发型和衣着等这样微小的细节。这种记忆并不意味着这些人拥有惊人的记忆力，只是说明这些人与世界的联系基于视觉印象。因为他们的注意力集中在外表上，因此他们不太可能记得其他的信息，诸如谈话的主题，或者关系的性质。

对另一些人来说，情况恰恰相反。他们忘记了所经历的境遇的自然物质环境，并且被认为是健忘的人！他们与这个世界的关系可能更多地基于情绪和个人经历，因而对物质的细节不是很感兴趣。

许许多多的因素影响着记忆的作用，而为了提高记忆表现，你必须重视那些与你最有关联的因素，以及为什么有时必须忘记一些事情。遗忘的定义是没有能力回忆、辨认，或者再生产以前学过的东西——换句话说，当有人问你"上星期一你做了什么？"这类事时，你脑子里一片空白。

当人们不得不说"我忘了"时，大多数人会感到非常失落甚至难堪。在你埋怨自己记忆力不好之前，应该先了解几个遗忘的真正原因。

遗忘是正常的——我们实际上不需要记住每件事情。没有遗忘，你的头会因为有太多太多的信息而发昏。所以，遗忘实际上对于记忆是至关重要的。因为你需要为你想要或需要记住的事情腾出地方来。

我们为什么需要忘记一些事情？主要有以下3个原因。

（1）衰退了的记忆。存在于感官记忆库中的信息似乎很快就会衰退。如果它进入了运作记忆——声音或形象记忆库，也许能在那儿呆上30～40秒，然后消失，除非它被有意识地进行了加工（在声音记忆库里，这意味着复述说过的话或读过的东西。在形象记忆库里，意味着这些图像的形象操作）。如果没有被有意识地在短时记忆中进行加工，它就会消失。

（2）干涉。在短时记忆中的内容可能因为新信息的进入干涉而成为牺牲品。例如，你还能清楚地记得5分钟之前在想什么吗？

（3）存储失败。有时记忆没有得到适当或完全地存储，因此就难以从记忆库中再现。这意味着那儿根本就没有记忆，无法再现。如果某个记忆只有片段的存储，同样也很难再现。

⊙ **舌尖现象**

我们通常会有这样恼人的经历，那就是知道的事偏偏记不起来。我们对这种现象似乎已经习以为常。其实这种现象叫做舌尖现象，从 20 世纪 60 年代中期开始，认知心理学家们就对这种头脑堵塞或记忆暂时缺失进行了研究。现在已经可以全面揭示这种现象了。主流理论认为，当缺少必要的能使人回想的暗示时，一个词会堵在脑中出不来。这就可以解释为什么通常想不起来的词会在几分钟后浮出水面，也可以解释为什么在这种堵塞没有清除的情况下找到一个新思路，或找到与之相关的东西而使问题迎刃而解。

对于这些遗忘的情形，压力往往是罪魁祸首。我们大多数人都有过这样痛苦的经历，明明知道试题的答案，但由于时间紧又必须赶紧往下做，尽管记忆没有恢复，但一个与那个词密切相关的或发音相似的词已经在你脑中形成，而且在某种程度上阻碍着你找到那个确切的词。在这种情况下，一般来说最好想点别的，过一会儿再说。在脑中重组事件顺序、具体情形以及相关概念或按字母表顺序查找可能的联系，这些都可以帮你找到丢失的线索。

另外一种对于舌尖现象的解释是记忆构成出了问题。想想看，要回忆起一本索引缺失或者目录不完全的书中的内容是多么困难。自己的记忆很有可能以一种相似的模式在运转。我们非常清楚我们知道哪些东西，但有时就是想不起来。例如，当我们被问到瑞士的邻国都有哪些时，如果只是用脑子想，很有可能会想不全或者出现错误；但是假如给出一些选项让我们从中做出选择的话，就会立刻给出正确的答案。所以，大脑中的记忆是处在混乱状态的，除非我们很好地理顺这些记忆，做出一些标记，这样我们才能够准确回忆出自己想知道的事。但当我们在一些特定的环境或者在面对一些选择的时候，我们就会给出正确的答案。

在记忆英语单词的时候，我们应该依靠发音、拼写和词义来记忆词汇。想要记起时就可以通过声音、图像以及具体含义来解决这个问题，这样还能有效地降低"话在嘴边说不出"现象的发生频率。例如，最近老是想不起 compound（复合物）这个词，于是就在脑海中想象一个疯狂的科学家在做实验，他把两种物质混合到一起，而且想象 composition 这个词的发音来帮助记忆，这样就再也不会忘了 compound 这个词。

3. 拒绝进入

⊙影响记忆进入和存储的因素

某些信息根本就没有进入记忆库，它们仅仅成为感觉记忆或工作记忆。为什么会这样呢？是因为你没有给予它们足够的关注吗——你并没有真正地听进去，没有理解它们，也没有真正留心记住它们？还有可能是你被其他事情分了心，或者认为没必要非要记住它们。

我们首先来看一下信息是如何进入的，以及什么能影响它是否被适当地存储。最大的问题之一是不和谐的噪音、图像、情感，以及日常生活中常见的嘈杂，它们不停地从大脑的感官存储库被搬进运作记忆。就在此时此刻，这个系统正在你的大脑中不停地转动着。你可能正在思考几分钟甚至是几天前发生的某件事情。它从感官注意来到大脑意识——运作记忆。同时，你的注意力正试图帮助你，告诉你把注意力集中到你正在做的事情上来。

⊙过滤掉不重要的信息

我们的眼睛和耳朵不断受到信息的轰炸。你的记忆系统帮助指引哪些对于当前的"思考"目的（你想要得到的）是重要的，比如完成一项指定的任务。它似乎可以处理或过滤外部的信息，以便让你能集中精力，并且拒绝任何被认定是不重要的东西进入记忆。如果没有这些，记忆就会负载过度。

⊙**演练以及失败的缘由**

我们会在记忆的不同阶段产生遗忘是有具体原因的。过去通常的看法是，某件事情一旦被你反反复复地重复过（这个过程我们称之为演练），就会被存储在长时记忆里。所以，导致遗忘的原因之一就是人们对信息重复得不够。例如，我们知道，如果你不在运作记忆中对一些事情进行重复或加工，信息就会消失或衰退。如果有人要求你对在小学时看过的一个历史主题谈一下看法，你会感到做这件事情有压力。它可能并不是你长期以来思考的问题，因此它在你的记忆深处。而如果你开始阅读一点有关这个主题的资料，就会发现信息又一点一点地回来了，你的记忆恢复了。某些早期的研究支持这样的看法：如果你要求人们重复一串数字或单词，他们通常会在以后记得起它们。这个方法通常被运用在教育之中，并被称为死记硬背机械记忆学习法。然而，你可能曾经记得反复查找过某个电话号码并拨打过它，但是它从未在你的脑海中留下烙印。有证据证明，简单重复通常并不足以或最有效地使记忆长期保存。

◑ 在这幅图像中，你可能看到一个少女，或者是一个老妇人，却很少可能同时看到两个人，但是通过不断演练，你就可以做到。这种发生在两个图像之间的转换活动发生在视觉皮质。

维护性演练使东西保留在运作记忆中，而编码性演练则使之从运作记忆进入长期存储。两者之间现在已经有了明显的区别。这意味着遗忘可能是因为相信自己的重复已经足够了，而不再需要其他附加的策略。

⊙缺乏联想

长时记忆的工作就是把一件件有意义的信息存储在一起，并使它们与相关的方面相连。虽然大多数存储在我们长时记忆中的东西本来就是有组织的，但我们有时仍需要稍微花些功夫有意地创造联系。所以，当某人说他已经忘记了某事时，可能意味着信息只有部分被存储起来或者没有被归类到正确的地方，仍然在标为"杂项"的区域。如果信息没有得到适当的存储，就会衰退。

⊙缺乏理解

要牢记信息，就必须理解它并让它具有意义。研究者曾经对11岁的孩子做过一个研究，要求他们记住一段写飞镖的短文。其中一组比另一组记得快得多。当调查员问他们是怎么做的时，许多孩子回答说他们自动地对短文提些问题（飞镖是用来干什么的？它们是什么样子？它们是哪儿来的等等）。记得不太好的那些孩子就没有问这些问题。那些问问题的孩子让他们的联想有了意义，因而也就把这个信息记得更好。他们把新信息同已经在记忆中的东西联系起来了。

4. 拒绝访问

⊙影响再现的因素

当你访问记忆时，你并不是简单地重放一盘磁带。实际上，你是在重新创造一段经历、重写一个剧本。那么，是什么在影响再现呢？这个让人感兴趣的答案就是——任何事情。在信息进入存储的路途中，一直有东西影响着再现的发生与否。

⊙加工的深度和广度

一个普遍的观点认为，信息的首次加工越精细越好，这样就越不容易被遗忘。注意，在前面的学校案例中，那些真正记忆力好的人并不只问"飞镖是什么"，而且进行了想象——它是什么样子的？所以，他们在加工时不但把它当做是一幅视觉的图像，而且是一套有意义的词语，甚至可能还有一首打油诗："小小飞镖头尖尖，孔雀衣服穿上边。"这使得信息能高度地在再现时被访问，因为它已经有了深度和广度。

如果几个星期后有人要求孩子们回忆这些图片，其中的一些人可能仍然能记得很清楚——只要他们用好的深度和广度对它进行了正确的编码。但他们可能不如亲眼看见的那天记得清楚，并且不得不猜一下是美丽的孔雀、彩色羽毛，还是飞镖。随着时间的推移，记忆，甚至是长时记忆也会被淡忘，并且不容易再现。

⊙识别与回忆

有些种类的记忆比其他记忆保存得更稳定。识别性记忆能识别你以前看到过的东西，并且可能十分可靠，而回忆性记忆可能就不行。如果你看着一张学校的毕业照，你可能认得许多张脸，但发现难以再现任何姓名。然而，如果有人告诉你一个人的名字，你可能就能记得起他姓什么。

⊙干扰

同编码一样，再现也会受到干扰的影响。想象一下看完一串词语后紧接着再看另一串词语。如果在第2天要你回忆第1串词语，你可能会把第2串中的几个词也说进去，因为第2串干扰了你对第1串的记忆。非常类似的信息可能比有着明显区别的信息更容易混淆。

⊙上下联系和暗示

影响记忆再现的一个非常重要的因素是上下联系。很可能有许多暗示在一个环境中丢失了，却又在另一个环境中出现。大多数人知道环境的上下联系：如果你在一个不同的环境中看见你认识的某个人，你可能会知道你认识他却又想不起他是谁。一些研究显示，被要求在有着明显香味（例如肉桂）的房间里学习有关信息的人，在有着同样香味的房间里考试时记忆力更好。

另有研究显示，如果某个记忆测试有特定的上下联系，信息在这个特定的上下联系下被回忆起来就要容易得多。这就是当我们为了某事走进一个房间却又想不起究竟要干什么时，再回到开始的地方通常又能记起来的原因。

还有内部暗示。想象一下你喝了几杯酒并和某人聊了一些有趣的话题。你可能还记得聊过天，但可能已经记不完整聊天的所有内容。当你下一次和同一个人喝酒时，可能会回忆起更多你们所谈的。

记忆的疾病和障碍

1. 器质遗忘症

随着年龄的增长，在许多人身上自然地表现出记忆力下降。但是，在某些情况下，记忆障碍与神经或精神疾病有关。

如果与神经有关，这些障碍的出现是由于某种疾病造成了大脑损伤，或者是由于意外影响了记忆的重要区域。

我们用"遗忘症"这一术语定义的这些障碍，主要存在两种类型：

近事遗忘症，特征是从疾病突发开始无法记忆新信息。

远事遗忘症，即难以找回在疾病突发前已经存储的信息。然而，患者一般能保留他们先前的个人经历，以及基本文化知识（语言、概念等）。

与广为流传的错误观点相反，源自神经的遗忘症更常见的是关于近事的，而非关于远事的。遗忘症患者没有失去程序性记忆能力，他们中大部分能以潜意识的方式记忆信息并影响自己的行为，却不为自己所知。

记忆障碍根据引发疾病的原因或损伤的位置的不同而不同。例如，巴贝兹环路双边损伤将导致严重的和永久的记忆障碍。巴贝兹环路左侧损伤，患者将更多地表现出对于记忆与语言相关的信息的困难；而环路右侧损伤，则更多地阻碍对视觉信息的学习和方向的辨别。

遗忘症可能是暂时的或永久的，也可能逐渐地或突然地出现。一般地，突发性遗忘症出现在脑血管以外、疱疹性脑炎、颅骨创伤后。顾名思义，遗忘症突发即突然出现且持续几个小时。渐进性遗忘症暗示着大脑有肿瘤或者其他疾病，如阿尔茨海默氏病。以下是一些主要的遗忘症。

⊙柯萨科夫综合征

该症于 1888 年由俄罗斯医生柯萨科夫提出。尽管这种病症很罕见，却是综合性遗忘症的一个代表性例子。

该综合征一般突发在慢性酒精中毒或缺乏营养的人身上。患者瞬时间忘记自己生活的一切和周围人对他所说的一切，然而他们却没有失去智力，他们的行为正常，例如知道如何下棋，但是一旦棋局结束，他们将马上忘记自己参与过的游戏和取得的胜利。

这种遗忘症几乎是永久性的，可能是由于缺乏某种人体基本需要的维生素所致，比如维生素 B1。这种物质的缺乏会造成大脑中应用于记忆的双乳体结构损坏。

尽管患有严重的遗忘症，患者还是能够以隐秘的、潜意识的方式学习，并且能通过行为表达出来。除了柯萨科夫综合征，过度地慢性摄入酒精也会增加损伤大脑某些区域的几率，并且引起酒精中毒导致痴呆。

⊙双海马脑回遗忘综合征

在某种程度上，海马脑回是进入记忆环路的入口，海马脑回的损伤自然会导致严重的遗忘症，最典型的是 H.M. 的例子。1953 年，医生为治疗 H.M. 严重的抗药性癫痫而给他做了手术，之后 H.M. 就患上了遗忘症，因为手术中医生切除了他大脑内的扁桃核结构和海马脑回。手术后，H.M. 的记忆能力不超过几分钟。他的短期记忆（或者运作记忆）是正常的，但是无法把信息转移到长期记忆系统形成持久的记忆痕迹。尽管如此，H.M. 保留了正常的程序性记忆能力，因而他能够读和写。

⊙疱疹性脑炎

疱疹病毒感染会引起颞叶边缘区域和海马脑回严重坏死，从而导致近事遗忘症和某些已获知识的遗失，以及行为障碍。这种遗忘症通常是严重的、永久性的。

⊙脑血管意外

脑出血（因一条小的动脉破裂引起）或脑梗塞（因大脑静脉血液循环中断引起）都可能造成脑部某一区域的损毁。如果该区域是在记忆方面发挥作用的，就经常会引起记忆方面的障碍。

心跳停止会中断氧气进入神经元，从而可能导致严重的遗忘症。大脑低氧 3 ~ 5 分钟就会危及记忆。海马脑回区域是记忆功能中极为重要的结构，也最先受低氧的危害。在最近的 15 ~ 20 年间，脑血管意外明显地减少了，但在发达国家中其仍然是致死的第三大原因。患病率随着年龄增长而急剧上升，75% 的患者都在 65 岁以上。

⊙颅骨创伤

猛烈的头部碰撞会导致昏迷，甚至造成大脑损伤而影响记忆。最容易受到损伤的区域是颞叶和额下叶。颅骨创伤造成的遗忘与近事和远事都可能相关，如果患者昏迷的时间很长或属于深度昏迷，遗忘症会更加严重。

患者从来都找不回对创伤的记忆，但由颅骨创伤引发的遗忘症不会趋向恶化（心理原因除外）。尽管如此，很多患者都会出现持续记忆方面的困难，这种困难会干扰患者重新从事职业活动。

某些非常轻微的颅骨创伤可能导致暂时的记忆障碍，极为幸运的则是其不会留下任何后遗症。

颅骨创伤的主要原因是交通事故，一半的严重颅骨创伤都是由此造成的，特别是年轻人。其他的原因有意外跌倒（特别是不到 15 岁和 65 岁以上的人）、工作或运动意外，以及遭受袭击等。

⊙帕金森病

帕金森病是最常见的神经疾病之一，它通常会造成与注意力相关的短期记忆困难。除了普通的遗忘或难以与对方正常交流外，这种病症对日常生活中的活动影响并不明显。

由于该疾病造成的病变位于大脑中对程序记忆起决定性作用的区域，因此学习某种技艺的能力会相应地受到影响，这就给患者使用新工具造成困难（例如电视遥控器）。20% 的病人——在至少 10 年的病变后——会出现不同于阿尔茨海默氏病的精神错乱，并伴有轻度的遗忘症。

这种疾病通常以极为渐进和隐秘的方式出现，常见的征兆表现为在休息的时候颤抖；运动障碍(运动减少或迟缓)；肌肉紧张增加，四肢和躯体硬化，这可能导致摔跤。其他征兆还有书写字体极小、口语表达缺失、面无表情等。

⊙意识模糊遗忘综合征

前面提及的遗忘症与记忆环路的损坏有关。另外，还会出现一些整体功能退化的现象，比如新陈代谢紊乱（血液参数改变，例如钙、葡萄糖、钾、钠的比例改变）或者药物（诸如苯化重氮之类的药物）对短期记忆的影响。短期记忆非常容易受到对事物的注意力的影响，这种疾病患者起初表现为意识越来越模糊和注意力不集中，随着病情的恶化他们的长期记忆也会受到影响。

2.突发性遗忘症

⊙突发性遗忘症的表现

西蒙娜63岁了。一天早上，她回到家发现家被盗了。一个小时候后，女儿到家时西蒙娜却问她："为什么门自己敞开着？"女儿提醒她刚才家被盗窃了。几分钟后，西蒙娜又问了女儿同样的问题。

于是，女儿吃惊地发现西蒙娜无法记住任何回答，她甚至不记得自己有两个孙子。但她能正确地说出自己的名字、出生日期、家庭地址等，并且她对自己的遗忘症没有任何抱怨。

西蒙娜被带到急诊室，在那儿她仍然不断问同一个问题"为什么门自己敞开着"。医生尝试让她记住一些字词，但瞬间她就忘了医生试图让她记住的所有东西。然而，对她的大脑扫描却没有显示出任何异常。

第二天上午，西蒙娜就康复了。她不再停留在"为什么门自己敞开着"的问题上，现在她能想起所有人跟她说过的话，并且又认出了自己的孙子。但是，她还是有10个小时的记忆空洞，在那10

个小时内发生的事情她什么都没有记住。

西蒙娜表现的是一种典型的突发性遗忘症（IA）。这种突然出现的记忆障碍，常令周围的人感到吃惊，但这种病症是暂时性的，并且影响很轻。

⊙谁可能是突发性遗忘症的牺牲者

这种病症通常在 50 岁后突然降临，75% 的病例都发生在 50 ~ 70 岁。患者表现出一些共同点：焦虑、追求完美或过度疲劳，其中 25% 的病例都是偏头痛患者。

我们发现在 70% 的病例中，有一半的情况与患者的情绪波动有关：争吵、被偷窃、不好的信息、某个人的意外去世。别的因素还有高强度或者非惯例的体力消耗、突然被投入冷水或热水中、长途开车旅行、剧烈疼痛、性关系等，突然的身体或心理状态的改变都可能引起自主神经系统的改变。

⊙对记忆的影响

突发性遗忘症会迅速引起严重的失忆，同时伴随无法记住全新的信息（近事遗忘症）。参与的讨论、活动或发生的事情都会在一到两秒钟之后被忘掉，并且，即便是给患者提供一份多选的问卷，他们也不可能再次回想起这些事。患者经常提出关于时间、地点、实际职务或者近期事件的问题，并且不断重复。他们对自己的失忆毫无意识，然而却表现出对某种焦虑的困惑。他们知道自己的身份，但是会忽略时间，通常他们遗忘的是近期发生的事情，而非很久以前发生的事情。另外，与程序记忆一起保留下来的还有语言和文化知识。患者完全保持警觉，并且能够毫无障碍地从事复杂的活动（开车、各种职业事务等），除非必须记住一条新信息。对他们的神经检查都显示正常，但至今仍没有任何治疗方法可以使其迅速恢复记忆。

症状会逐渐消失，患者有时候觉得"醒来了"，但他们仍然存在着 2 ~ 12 小时的记忆空洞。对脑血管和脑新陈代谢的测试显示出大脑颞叶或额叶区域存在异常，但这些不正常在几天后便消失了。

这种病症复发的几率极小（不到 5%），并且在 1 ~ 2 年内不会再突发。令人心安的是我们没有观测到任何后遗症，并且不存在任何增加患脑血管意外或阿尔茨海默氏病概率的因素。

⊙ **出现的原因**

突发性遗忘症出现的确切原因仍然是个谜。它既不涉及脑血管意外，也不是癫痫疾病。根据临床数据以及对大脑图像的观测，研究者认为可能是大脑中靠近海马脑回的区域暂时失去功能。

强烈的情绪波动引起海马脑回区的神经递质谷氨酸的大量释放，在几个小时内阻碍了神经信息的传递，从而暂时中断了对新信息的学习。有时其他神经递质（神经降压素、后叶加压素、内啡肽）也会介入其中，特别是源于剧烈疼痛的突发性遗忘症。

3. 阿尔茨海默氏病

阿尔茨海默氏病是一种大脑神经衰弱的疾病，以不可逆转的方式在几年间恶化，导致严重的记忆、语言和行为障碍。在非常罕见的由于遗传原因造成的情况下，这种疾病可能从 35 岁就开始出现。这种疾病的患病率随着年龄的增长而增加，其中大约 1.5% 的情况发生在 65 岁以前，20% 发生在 80 岁以后，尤其是 65 岁以上的患者数量随着年龄的增长而增加。这种疾病确切的患病率（即在一天中病患的绝对数量）总是专家们讨论的话题。

⊙ **病因**

阿尔茨海默氏病是由于神经元内部和外部的损伤造成的，这些损伤要用显微镜才能观察到。损伤在蛋白质（如淀粉状蛋白质）沉淀周围形成，正常情况下蛋白质是神经元的重要组成元素，但是在这种情况下却变成不溶解的，并且是致病的。今天，随着神经显像仪的发明，科学家们也已在阿尔茨海默氏病患者中诊断出很多神经末梢退化的人。退化和神经纤维纠结越多的患者，智力及记忆的障碍就越大。

⊙这是一种遗传病吗

在一些非常罕见的情况下（全世界只有几百个家庭），这种疾病是与一些特殊基因的突变有关的，这些特殊基因位于第1、14或21号染色体上。在这种情况下，50%的家庭成员会出现这样的基因突变，并且患上这种疾病，有的人四十几岁就患病了。

如果有一位直系亲属（父亲、母亲、子女、兄弟或者姐妹）已经患病，那么风险会更高一些。但是，这种概率与和年龄增长相关的风险相比是微不足道的。

⊙疾病的征兆

阿尔茨海默氏病首先是一种记忆疾病。由于最初的损伤出现在主要负责记录新信息的海马脑回中，因此第一个征兆表现为遗忘。这涉及真正的遗忘，不要与和疾病毫无关系的普通注意力困难相混淆。

最初，遗忘只是偶尔的，之后逐渐变得频繁。这种恶化可能在几年中逐步加剧，并且长期不被发觉。随着时间的推移，情况恶化，遗忘将伴随着其他困难。患者在从事非习惯性和非经常性的活动时，表现出越来越大的困难，比如为旅行做准备、面对家庭突发事件（漏水、意外、故障）、处理行政文件或较复杂的会计事务（如申报个人所得税）。患者表现得越来越冷漠，对许多事情失去兴趣，甚至放弃以前最喜欢的消遣活动（集邮、缝纫或编织、协会活动、种植、绘画等）。

我们还观察到，患者对社会活动也失去了兴趣。大部分情况下，家庭内部的争吵都是由于一种与以前不一样的易怒的性格造成的。患者变得脾气暴躁，而且忍受不了哪怕一丁点的试探，即便这些试探显得很有分寸，很轻柔。

⊙越来越严重的症状

记忆障碍越来越明显，直到影响日常生活的各种活动。患者无法想起或者非常困难才能想起某一天所做的事，甚至是当天发生的事情。遗忘逐渐涉及以前发生的重要事件、掌握的知识或者技艺，如孩子的名字、重要日期、缝纫技术、菜肴配方，等等。起初，患者能够意识到并且抱怨自己的遗忘，之后对这种障碍则变得无意识。他们认为一切正常，然而周围的人却越来越为他们担忧。

此外，其他的智力缺失也变得更加明显，最常见的是失语症和失用症（运用不能症）。失语症是一种语言缺失，患者难以进行正确的表达，并且不能理解别人对他所说的话。人们常将这种障碍与有意识地降低注意力相混淆（"他不听我们对他说的话"），实际上患者确实在听，但是却无法理解较长的句子，并且不再知道某些词的意思。

失用症是一种动作实现的缺失。当患者不再知道如何做某些事情的时候，比如如何使用简单的家用电器、缝纫工具、餐具或者洗漱及厕所用具，就会给日常生活带来麻烦。

疾病的恶化会导致患者失去自主能力，越来越不能自理，他们还可能忘记吃饭、混淆白天和夜晚。

更糟的是，并发症可能随时突然出现：抑郁、焦虑（特别是晚上）、越来越瘦弱、罕有的迫害幻想（某人偷了他的东西、有人进入他家、有人要伤害他、周围的人是骗子等），甚至幻觉。

从正常到疾病	
正常的现象	应警觉的现象
难以想起不出名的人的名字（某个演员、远亲）。	难以想起亲近的人的名字（孙子孙女、朋友）。
想不起把一件常用物品放在哪儿了（眼镜、钥匙、遥控器）。	不知道日常必需品摆放在哪儿了（衣服、餐具）。
难以记住全新的事物（讲座的内容、一次参观或旅行）。	忘记重要的家庭事件（家庭聚会、婚礼）。
很难进行一项自己不喜欢的活动（填字游戏、打桥牌、参观博物馆）。	进行自己喜欢的活动时会遇到困难（在家做家务、室内游戏）。

当所有这些行为障碍交织在一起时，患者不再能够理解周围的世界，不明白为什么人们都躲避他，并且不让他做想做的事。这样，他就会变得越来越易怒、动摇，甚至具有攻击性。

⊙**诊断的依据**

诊断是由医生通过检测和临床测试，特别是神经心理学的测试做出的。

我们一般通过抽血化验来确定是否存在维生素或者激素的缺失，因为缺乏这些物质可能导致与阿尔茨海默氏病相似的障碍。

大脑扫描和磁共振图像测试更复杂但更精确，可以确认记忆障碍是否由大脑肿瘤、脑血管意外、颅骨创伤的后遗症引起。

在患有阿尔茨海默氏病的情况下，如果各项检测都是正常的，或者显示脑容量只是轻微减小，那么更为特殊的情况是海马脑回的体积减小了。

⊙**治疗方法**

一直以来，医生都没有发现任何真正有效的药物能对抗这种疾病，1994年氨基四氢吖啶的出现才使情况有了转变。至今，已经有很多种药物投入了商业化生产。这些药物都是针对轻度期治疗和用于缓和阿尔茨海默氏病症的。2003年，出现了针对此病症由不太严重向严重期转化阶段的治疗药物，这些药物能轻微改善或暂时性稳定阿尔茨海默氏病症。对于不同的患者来说，这些药物所起的作用是不同的，但是我们还不知道产生这种差异的原因是什么。

现今研制的药物并不能使阿尔茨海默氏病患者痊愈，但是它们对一些症状有不少积极的作用。研究人员将会发现那些越来越有效的药物分子，并且我们有理由相信，这种疾病终究有一天会被攻克的。确实，现在正有不少的研究方法同时进行着。但是，应该明白，一种新药物的成熟需要十几年的时间来证明其有效性和毒性。

⊙如何护理阿尔茨海默氏病患者

护理一位患有阿尔茨海默氏病的朋友或者亲属并不是一件简单的事情。这是非常繁重的工作，通常会让人精疲力竭。在疾病的任何一个阶段，患者的自理行为都应该得到支持和鼓励，即便行动缓慢，即便做的不好，即便没有什么用。希望使患者接受自己遗忘的事实和认识到自己的错误行为并不能起到积极的作用，这种想法反而会造成双方的争吵，给双方都带来痛苦。在患者需要依靠他人的时候，帮助应该是逐渐进行的，要尊重患者本人的意愿。一些来自第三方（护士、生活助理）的帮助比来自患者自己的配偶或者孩子的帮助更容易被接受。与医生的交流是非常重要的，可以使医生了解问题的来由，从而避免一些错误行为，或避免给患者提供镇静药物，那样的药物经常造成病情的恶化。对所进行的活动的说明（时间表、路线图）可以帮助患者获得更大的行动自由，应该时刻注意患者的需要并适应他的行为方式。

你的一个亲近的人突然患了阿尔茨海默氏病，将是一个难以接受的事实。患者"能力的下降"，他表面上的冷漠会使人萌生一种把他掌握在手中，而非去帮助他的想法。有一点很重要，你应该知道有哪些办法可以帮助你，有哪些资料可以使你对这种疾病有更深入的了解。你也可以向所在地区的医疗服务部门或社会服务部门请求帮助。

在可能的范围之内，你应该接受这种疾病并且照顾好自己。以下是一些比较实用的建议。

尊重的需要

尊重体现在每件细小的事情上：帮助患者穿衣服或者去洗手间；患者在场的时候，你和别人谈论他的方式……

感情和家庭环境的需要

你再也不能够像以前那样向病人表达感情，他也不能再向别人表达情感，但手的接触、一个微笑都是很好的方式。

⊙ 一名医生正在观看一位老年患者做测验，以便检查这位患者所患阿尔茨海默氏病（老年痴呆症）的发展情况。在年龄超过85岁的老年人中，有超过1/3的人受到老年痴呆症的困扰。

患者保持着对令其幸福的事物的依赖，他需要与家人和朋友保持联系。

沟通的需要

必须懂得倾听、交谈，有时候需要利用其他方法来传递信息。以下是一些有用的"技巧"：

（1）让他保持注意力。

（2）直视他的眼睛。

（3）缓慢而清晰地说话。

（4）一次只说一条信息。

（5）重复重要的信息。

（6）说话的同时展示出所说的实物。

（7）亲切和令人安心。

安全的需要

患者行为能力减退得越严重，他所需要的帮助越多。你应该尽可能多地让他自己去行动，同时要整理好他的房间以保证他的安全。从某一个时刻开始，为了不再让他自己开车，你就应该有所行动了。

重复的需要

激励一个毫无动机的患者需要很多的想象力，想他以前曾经喜欢做的事情，并告诉你自己，重复做这些事情并不使他厌烦。

睡眠

患者通常整晚都难以入睡。因此，必须让他在白天从事体力活动，以便在晚上疲劳入睡。

闲逛散步

患者经常走动并且可能迷路。提醒邻居和小区的商贩，如果看到患者，让他们给你打电话。你也可以给患者带一个身份牌，上面留下你的电话号码和地址。

失禁

患者可能弄脏或者弄湿自己的衣服，借助标语牌经常提醒他去洗手间，尽量避免这些意外的发生。

怀疑

患者可能认为你或其他人试图伤害他。如果他丢了东西，可能怀疑是周围人偷的。告诉他你明白他的困扰，并向他解释没有人会伤害他或偷他的东西。然后，引导他去想别的事情。

愤怒的爆发

患者可能对那些在过去并不能影响他的事情发脾气。

（1）你要保持冷静并且令他放心。

（2）让他安静，并给他创造安静的条件。

（3）排除困难或者让他远离棘手的状况。

（4）如果你感觉面临危险，就离开现场。

4. 焦虑与抑郁

焦虑与抑郁并不构成本义上的记忆障碍，但这两种症状会消极地作用于记忆。

⊙焦虑

焦虑在情绪方面近似于恐惧，又与之有所区别，因为焦虑的根源无论是真实存在的还是自我想象的，都被过高估计了。

从不集中注意力

焦虑的特征表现为内心紧张不安，并伴有生理症状和说不清的恐惧。许多严重焦虑的人都不能将注意力集中在他们身外的任何事情上。他们的头脑中充满了担忧，因此他们不可能将注意力放在外界发生的事情上，并且他们的记忆力衰退会影响到他们的日常生活。

焦虑会不同程度地影响记忆，在转移部分注意力的同时会妨碍学习质量。例如，我们在听别人说话的时候还考虑着其他事情，这样我们就可能无法记下全部谈话内容，并极有可能遗忘一部分。

记忆空洞

焦虑也可能阻碍回忆的进程。最典型的例子是，由于紧张我们无法在黑板上写出背诵过的内容，或者面对考试卷大脑一片空白。焦虑还会妨碍我们使用有效的策略寻找所需的数据资料，这就是记忆空洞。然而所有的信息都没有遗失，因为通常提供一个线索，比如文章的开头，我们就可以全部回想起来。

许多研究人员指出，焦虑症者能以潜意识的方式更快地并优先地处理与自己焦虑的事物相关的词。例如，一个蜘蛛恐惧症者对蜘蛛、爪子、毛这些词更敏感。

焦虑的一些症状

神经过敏、忧虑或恐惧。

忧虑或有一种不祥的预感。

一阵一阵的恐慌。

注意力难以集中。

失眠。

对可能患有生理疾病的恐惧。

肚子痛或腹泻。

出汗。

头昏眼花或头重脚轻。

不安或易变。

易怒。

⊙抑郁

出现在一个难以承受的事件之后（死亡、被解雇等）或者需要适应新情形时的抑郁称为"反应的抑郁"，其他抑郁则与心理疾病有关。

有观点认为，抑郁症患者会表现出语言行为的缺失。例如，他们在记忆一系列中性词汇时特别困难。能力的减弱与抑郁的严重性和任务所要求的努力成正比，抑郁症患者可能表现出对任何事情都不做回答，或者只回答"我不知道"，提供线索、重复学习和自动化任务能改善他们重新找回记忆的进程。

越是悲伤，越能更好地回忆

一方面，我们在抑郁症患者身上发现了一种"状态依赖"的现象：在同种前提下，他们更容易回忆起在抑郁状态下学到的东西。

另一方面，我们发现了一种称为"符合情绪"的现象：如果学习内容的感情色彩（比如一些表示痛苦、悲伤的词）与个体的感情状况相符（在这里指抑郁的情绪），记忆就会更容易。

对抑郁症患者来说，那些痛苦的经历更容易被记住。在测试中，抑郁症患者对那些令人不愉快的词（例如战争、死亡、癌症等）比那些令人愉快的词（例如快乐、和平、太阳等）记忆得更好。

5. 心理病源的遗忘症

心理病源的遗忘症总是以突然的并且强烈的方式出现，有时发生在对新事物的记忆上，但是最常见的情况是阻碍对以前的事物，尤其是自身经历的回忆。

⊙我是谁，我要去哪儿

在一些病例中，患者甚至想不起自己的身份、出生日期、家庭地址……这种极端病症经常出现在文学作品中，主人公既不知道自己是谁，从哪儿来，也不知道自己要到哪儿去。

⊙遗忘与康复

患者并不是完全遗忘了自身的信息，通常情况下，与心理创伤有关的事件（例如与被解雇之后的职业生活有关的事情）是被遗忘得比较多的，而那些与此事件同时发生的，但没有对情绪造成影响的事件都能重新回忆起来。这种遗忘症的持续时间变化很大，从几个小时或者几天到几年的情况都有。患者的康复表现得很突然，"像一道光似的"，有时是在面对一个对他们来说非常有意义的事件时突然康复的，这一事件可能与他们以前的某些经历非常相似。

⊙复杂交错的现象

事实上，从表面上区分神经性的遗忘症与心理病源的遗忘症是非常困难的，因为这两种类型的遗忘症可能错杂着。例如，一次颅骨创伤可能对身体和心理都造成影响。在前面的文章中我们已经提到，轻微的颅骨创伤引发的远事遗忘症，通过放射检查是看不出任何大脑损伤的。这种类型的遗忘症机制仍然处于争论之中。而遗忘症突发的神经学机理已经开始明确了，这种症状可能在情绪激动的背景下突然出现。

⊙**呵护你的记忆力**

饮食营养均衡；避免食用垃圾食品。

参与符合身体条件和生活习惯的体育锻炼。

如果没有动力，列一个日常锻炼计划并坚持执行。

重新尝试你曾经很喜欢的运动或学习一个新项目。

想办法让身边的人生活更充实。

把你的经历与他人分享，不要封闭自己。

学会欣赏你的所见所闻：专注于一个简单的事情，比如看夕阳西下的美景；感受阳光洒在脸上的温暖；倾听一首心爱的老歌。

考虑参加一个交流学的课程或者重返校园充电。

树立新目标：打碎以往的幻想。

拥有好心情：点燃浪漫的蜡烛；演奏心爱的乐曲；享受大汗淋漓的泡泡浴；在公园里悠然漫步；或者看一部经典的电影。

学习一种让身体放松，注意力集中的新技巧：自我调节、幻想、太极、瑜伽或者深呼吸。

观察个人性格对健康和生活的影响：用积极的心态取代消极观念。

6. 药物

我们的记忆力会受到药物和其他物质的影响，因此所有的药方都应以具体的方式告知当事人。

除了阿尔茨海默氏病患者外，可以提高记忆效率的药物给了所有大脑疾病患者一个非常现实的希望，这些疾病都影响着患者对信息的学习、储存和有意识地回忆。但是记忆药学的机制是复杂的，至今仍然存在许多争论。

⊙治疗药物如何起作用

神经递质（乙酰胆碱、谷氨酸、多巴胺、γ-氨基酸等）以及传递神经信息的接收器是科学家研究的主要对象，事实上，所有作用于这些物质的元素都可能改善记忆。

如今科学家发现，负责神经元细胞合成的脑神经再生源依赖像激素这样的物质，而一些激素的替代药物也具有这一功用。

⊙现今主要的治疗药物

阿尔茨海默氏病治疗药物

在过去 20 年中，科学家投入了大量的精力用来寻找有效的治疗方法以及阻止阿尔茨海默氏病的破坏效果。治疗的范围是广泛的。非甾族胺抗炎症药物，例如阿司匹林和布洛芬已经被成功地用于减弱并发症的症状以及减缓疾病发展进程。

目前，抗胆碱酯药物是治疗阿尔茨海默氏病的主要处方，这种药物能增加大脑中神经递质的浓度，在疾病的轻微阶段到中等阶段一般使用乙酰胆碱。

金刚烷胺是一种传递谷氨酸的物质，常被用来治疗阿尔茨海默氏病，其应用于疾病的中等严重到严重阶段。

吡贝地尔是一种与多巴胺的作用相似的物质，对于治疗独立性记忆障碍有益，这种记忆障碍很可能是阿尔茨海默氏病的前兆。

抗氧剂

这些物质不直接作用于记忆机制，它们的角色是保护神经元。事实上，这些"神经保护者"负责抵制自由基团，自由基团由于氧化作用会对细胞产生毒性。

维生素 E 能够推迟阿尔茨海默氏病的进程 7 ~ 8 个月，对健康人则具有预防其他形式的精神错乱和痴呆的功效。治疗帕金森病的药物司来吉兰也有类似的药效。

"抗衰老"药物

在某些国家，各种治疗与年龄相关的认知障碍的药物已经被商业化了。这些药物（血管舒缩药、大脑氧化剂、认知易化物，等等）以前就有，但缺少对其疗效的正规证明，比如对阿尔茨海默氏病症状的缓解等。这些药物都具有与记忆机理的分散特征相符合的特点：膜体的稀释作用，神经元能量代谢的激活、激起作用，等等。所以，这些药物应该根据当前的治疗方法进行评估。

雌性激素

越来越多的研究显示，雌性激素在女性记忆力方面发挥着作用。各种研究表明，绝经期的女性中那些在激素替代治疗中服用雌性激素的，在记忆测验中的成绩比那些没有服用的要好。然而，一项最新的研究指出，雌性激素配合黄体酮进行的长期治疗会增加痴呆的危险。

⊙朋友还是敌人

一些药物已被证明是记忆的真正的敌人，但是，在药物学方面取得的巨大进步，使我们可以对那些把"认知能力"和"记忆能力"考虑在其疗效之内的药物进行调整，包括安眠药、含血清素的抗抑郁药（巴洛兹烃、弗洛兹烃等）、抗精神病的药和抗痉挛的药。

⊙谨慎治疗

应该避免大量服用被认为可以积极地在"加强记忆"方面发挥作用的、没有医生处方的和自我治疗的药物。怀疑是合乎情理的，因为至今没有任何关于某些药物疗效的可靠依据，并且更多情况下是其潜在的危险性也没有得到证明！其中很多是简单的刺激性药物，有些会对交感神经系统发挥作用（使心率加快）的药物会增加患动脉高血压的风险和造成冠状动脉的损伤。

7.再教育

再教育的目的在于帮助因大脑损伤而存在记忆困难的人，改善他们在日常生活中的行为，包括颅骨创伤、脑血管意外、柯萨科夫综合征患者等。再教育不是对记忆机制反复机械地刺激，而是激发其存留的能力，以及利用一些外部辅助。

⊙介入方式

应根据患者剩余的能力，就是说在意外或者疾病之后残存的记忆能力，以及他们的困难和日常需要来选择介入的方式。

发展内部功能

目标是帮助或重新组织病人的记忆功能。在教患者分析信息（构建心理图像、逻辑分类）的同时，重新教给他们记忆策略，将信息结构化和简易化。这样能改善其记忆能力，并且帮助患者更有效地利用残存的习惯技能。

构建心理图像有助于解决前瞻性记忆的困难。首先，让患者重复所要实现的行为的数量，并通过问题进行补充分析：在哪里，干什么，和谁，等等。然后，要求患者对每个连续的行为实现"自我视觉化"。

这种介入方式可以在仍然保留的推理能力和心理成像能力的基础上进行，从而弥补自觉实施的编码策略缺陷，这种缺陷经常出现在颅骨创伤患者身上。

激发存留的残余能力

激发存留的隐含记忆可以使患者重新学习有限储存的特殊知识。例如，遗忘症患者可以通过再教育重新掌握如何使用电脑（隐含的程序记忆），即使他无法回忆起最初是在什么场合学会这种操作的（情景记忆）。

利用外部辅助

随身携带一个笔记本、建立核对单、设置视觉线索、使用定时器、使用录音机等，这些都能减轻患者的记忆负担，弥补记忆缺陷。

对那些无法辨认空间方向的严重患者，外部辅助可以利用地点卡片和现场实践（角色扮演、实地经验）等方式。在不断练习后，患者就能够记住常去的地方和路线，但其他的路线还需要再进行新的学习。

⊙**再教育的对象**

内部辅助要求患者自觉地和有意识地应用。因此，患者自己应该清楚可使用的记忆方法并且拥有足够的动机。这种介入方式主要针对轻度或中度的颅骨创伤患者和由于脑血管意外或者自然衰老引起的遗忘症患者。

外部辅助主要针对中等到严重的失忆综合征患者（重大颅骨创伤、脑低氧、脑瘤、脑血管意外）。如果短期记忆功能未受损伤，并且认知障碍和与其相关的行为障碍不太严重，那么笔记本将是有效的辅助工具。

在患有严重的遗忘症的情况下（严重颅骨创伤、柯萨科夫综合征），对专业知识的学习能力可能会丧失。这些在日常生活中非常需要人照顾的患者有些是非常年轻的，在重新融入社会生活方面有很大的困难。对他们进行再教育的目的是帮助他们学会自理，当然这是限于某一个专门的领域。

对于病情已经发展的情况（痴呆综合征或复发性肿瘤），正确的方法并不是对病人进行功能训练，而是使其存留的能力处于最佳状态，并且配合相应的心理治疗。

⊙**从什么时候开始再教育**

当患者已经走出严重的遗忘症的最初阶段时，就可以对其进行功能训练，这时患者已经意识到了自己面临的困难，在药物治疗和行为治疗中的状态也已经稳定。另外，患者已经恢复了足够的语言能力，并且主要的感觉器官的缺陷也得到了弥补。

当记忆欺骗我们或者记忆丧失

1. 记忆的局限

很不幸，无数人都在我们的监狱系统中为着他们不曾犯过的罪行而成为时间的仆役。这一令人沮丧的事实强调了不准确甚至是错误的记忆带来的后果。然而，我们记忆系统的复杂性恰恰极易导致其对事实的歪曲。要忘却某件事，你在以下三个阶段中任何一个阶段出错都能达到目的——记录、维持和唤起，而要记住某事，这三个阶段都不能出现任何错误。我们能够准确地记忆事物，真是奇迹。甚至就算记忆被歪曲了，它还是能够精确地重拾记忆中的往事。

如果这个被叫做记忆的复杂网络是由感觉、情绪、思想、话语、感官知觉、情感、想象和智力组成的，我们能否期望，它不受外界以及不同解读的影响？当然不能！

记忆主要有两种，内在记忆和外在记忆——前者更为稳定，后者则不如前者。内在记忆包括程序学习（如技能训练、身体习惯）、情绪编码（如创伤、恐怖及其他强烈的感官经历）和应激反应学习（如押韵、面孔、抽认卡），以上所有几乎不随时间改变。而我们有意识加以依赖的外在记忆（充满内容、数据、事实、地点和事件）却极为主观，易受外界影响。

伊丽莎白·罗夫特斯是一位目击证词和记忆扭曲方面的权威，她解释说，记忆痕迹并不总保持在完整状态，而是随着时间和外界影响发生改变。"我们确实创造记忆并在每次回忆的时候重建记忆——或用新的联系加强记忆痕迹，或有意忽略减弱它。"她说。即使记忆痕迹起初相当清晰，它也极易遇到使之产生变化的各种影响，如另一个人的意见，下意识的建议、误解和分心等。法官在公开案件中非常清楚确保陪审员们不受记忆质变的影响，因此，隔离陪审团是在高度公开案件中常用的做法。

对记忆主观性的生物学解释在于每次我们回想某段往事时，就激活了神经元关联中的一片区域或网络。细胞间的关联将轴突与树突连在一起。最初学习时被激活的脑细胞此时被"点燃"并"关联"起来。使用则使这些关系得到强化；不用则使它们减弱；误用能够创造新的，有时并不精确的关联；滥用会改变或完全毁坏已有的关联。总之，这些为我们语义（事实）和事件（经历）回忆提供"配线"的脆弱关联记忆改变。

⊙记忆的结构

歪曲人回忆的影响有多种：回忆提示的缺失；衰退或误用；受到能将旧的记忆抹去的新知识的干扰；压抑；指点或建议；感觉或经验。当中任何一个因素都能干扰原始记忆痕迹，导致记忆错误。但是错误记忆完全是被创造的吗？会不会是由于正确记忆被歪曲而产生的呢？实验证明只要重复错误记忆足够的次数就能让人们相信它是正确的。以兄弟姐妹为对象的研究表明，当兄妹中的一个捏造一个与另一人有关的记忆，这个人很有可能开始回忆有关这一"真实"事件的细节。这些例子说明我们的记忆很易受影响，外在记忆很容易被改变。

著名的瑞士心理学家让·皮亚杰对他童年时一段痛苦经历的叙述使其对错误记忆的性质有了了解。多年以来，他一直认为他在初学走路时被绑架过。他对这一创伤性事件的细节都很清楚："案发"的街道、把他从照看者那儿夺走的人、不知情的警官赶到现场之前他的反抗。直到十几岁皮亚杰才得知，事实上，这一事件根本没发生过。保姆在数年后承认她编造出这个故事作为一个给皮亚杰富裕的父母留下好印象的计谋。皮亚杰记住的只是这件事的叙述，而他却惊人地"看到"了整件事的细节。随着时间的流逝，这段记忆对他来说变得和其他一切一样真实。创造记忆的能力（不管是自己还是他人的）被一次次证明。

⊙回忆提示缺失案例

记忆时大脑首先受到刺激，然后将其记录在合适的区域；回想时，提示或二次刺激会把你带到记忆网络。因此当我们处于某种特定情绪中时，我们倾向于回忆在同一情绪时记下的事物（状态依赖），同样，有回忆提示的时候，我们回忆的信息也会增多。如果无法获得回忆提示，那记忆也无从获取。这就是唤回目击记忆的最佳方式是回到犯罪现场的原因。我们当中许多人就有过重获回忆提示的经历，只要重新回到之前的环境就能办到。下一次你因为考试结束后才想起答案而打自己的时候，搞清楚，这种情况便是记忆提示缺失。回忆提示可能是有意识的，也可能是无意识的。

想象一下你在开车时，是否经常靠无意识的暗示去唤起你的记忆。在我开车去办公室的路上，闪烁的黄色交通信号灯总能使我自动快速向右转。桥上标志着出口的信号也有类似的效果。有意识的线索也很有帮助。试着先记住一些街道的地址再去认路，然后尝试去记住一些标志性的标记，如显眼的建筑、路牌或地理特征以便认路。哪一种比较容易呢？大多数人会觉得有视觉帮助的线索比较好。为什么呢？因为这种线索更容易引起人们的联系和独有的含意从而产生大量的记忆路径。反之则很容易遗忘或记得不准确。

⊙罪恶的双胞胎：疏忽和分心

我们不需要将看见的所有东西都内在化。实际上，大部分我们随时接收到的感官信息都因为没有什么价值而被忽略掉了。我们不可能总是保持有意识的状态。将信息进行编码并不总是自动进行的，尤其是当我们被外在事物打扰的时候。

因此，在犯罪现场并不能保证目击的准确性。对这个问题最显而易见的解释就是，他们所见的东西并不一定能和他们被问的问题对得上。缺少注意力实际上是我们遗忘事情的主要原因——每天坐公交车上下班的人十分清楚坐车很容易使人变得过了时间却不知所想。对待分神的唯一方法就是对能使你和你的目标分心的事物保持足够的清醒，并且不让这些事物有机可乘。举个例子，如果你要给植物浇水，但又想到要喂狗，弄清楚它们之间的冲突，然后过会去喂狗——记忆培训的创造者丹尼尔·拉普把这种方法称为单轨迹思考技巧。

2. 记忆会减弱或衰退吗

虽然大多数心理学家都认为长期记忆即使不能获取也会永久保存在头脑中，但一些神经生物学方面对无脊椎生物体的研究表明，神经系统的长期变化可能会使某些简单的记忆减弱或消失。这种观点证明了关于遗忘的衰退理论。正如柏拉图所写的："在我们记忆时，我们使头脑中的沟壑变深，但时间又会慢慢将沟壑磨平，从而使我们忘记。"

⊙记忆干预

简单来说，无意中听到别人对某事物的描述会对你的记忆产生影响，正如较晚发生的事会对早些的事产生影响一样。举个例子来看，你最近发现你的一个大学同学（你当初对他印象很好）被指控为汽车大盗。这个新信息使你重新考虑你对他的好感。现在，你回忆中的他并不是那么值得相信了。可见，目前的信息影响了你过去的记忆。

艾宾浩斯时间对遗忘影响的研究很重要，但是心理学家发现相互混淆的事物，例如，后发生的事物对原先的记忆的影响和冲击，对记忆的准确性也有影响。干扰可能来自很多方面，报纸、邻居或无意中的对话都有可能。干扰理论表明，新信息即便不能否定旧信息，也会对其造成混淆。而且类似的新信息越多，越有可能产生影响。所以结果经常是信息的混合体，那就是说我们失去的相继发生的事物对记忆影响的轨迹。举个例子来看，如果有人问你昨天晚饭吃的什么，你会很容易想起来。但是若问你上周四吃的什么，很有可能你不会很容易记起来。按照干扰理论的解释，这就是很多简单事物相互影响的结果。

干扰发生是因为你对一件事物的内容和地点的记忆是同时进行的。你所记的每件事都有地点伴随。但是，事情越特别、相关和有意义，就越容易记忆。被干扰的越多，越容易混淆。例如，我们使用电脑时，我们给每个文件夹命一个不同的名字，以便以后找到。但现在一个病毒侵入你的电脑，把所有文件名改成一样。文件还在那里，但你如何找到你要的呢？这就是干扰在记忆里的工作原理。

⊙ 情感记忆

在遗忘的方面我们比较忽视的是：记忆是加上我们的情感的。大多数人对有强烈感情的事记得比较牢固吗？是的，我们比较擅长记忆事情的发生而不是细节。心理学家乌尔里奇·纳赛尔通过研究证明，实际只有 29% 的事物能够准确记忆。像结婚、子女出生、家人死亡等影响生活的事件，或者第一次拥有自行车、宠物、汽车、亲吻或分手等事件会在脑中产生化学反应，神经递质会认为它们很重要，因而容易记住。

强烈的情感记忆更容易被牢记，它们比较特殊，因此通过比较直接的路径到达大脑。比较愉悦的事情可能会由海马体进行处理，然后储存在颞叶里；而情感记忆则会像其他非情感记忆一样，由视神经床开始，但会立即返回扁桃体做长期储存。

研究人员指出，意外事件，如地震、恐怖袭击、飞机失事等，目击者可能会因受强烈刺激而遗忘。这点很重要，因为情感压力和损伤性压力之间有一个临界点。情感强度会因释放葡萄糖皮质类固醇而变得独特、重要和值得记忆。损伤性或永久压力则会导致皮质醇中毒。

长期这样，因损伤性或永久压力而造成的大量皮质醇释放会杀死脑细胞。压抑、过度损伤、心理障碍等是导致皮质醇过度释放的主要原因。

3. 痛苦的记忆

伴有巨大压力和紧张感的记忆，通常与强烈的情感联系在一起，这些记忆帮助我们从危险的境地中解救出来。尤其是当遇到危险时，记忆会绕开大脑的高级指挥中心，以保证可以做出快速的反应，这也就是所谓的"斗争或逃跑"现象。危险似乎被编码直接传输到大脑，并且经常导致反身行为，这种行为可以持续永久。比如说："如果一个人在儿时被狗攻击过，那么他很可能在以后很长的一段时期内都会惧怕它们，除非他变得对此不敏感或者重新认识这种"情感记忆"。

恐惧是所有情感记忆中最强烈的一种记忆。不过，其他的一些情感，比如失望、挫折、悲伤等，也能够触发内在的(下意识的)记忆，这些记忆会唤起强烈的反应。现在临床学家正在用记忆技术寻找新方法来释放掩盖在"精神躯体"里的创伤。他们的许多成果可以被解释为威廉·莱西的精神疗法，他在五六十年前就指出痛苦的经历是如何以惯常的肌肉紧张和神经肌肉模式被存储在身体中的，他称这种模式为"身体盔甲"。现在我们知道，实际上，痛苦的记忆以"神经缩氨酸"和其他化学物质的形式表现出来，然后它们在身体里循环，在一个细胞表面上发生永久的改变。

在很多情况下，痛苦的记忆会演变成一种避性反应和其他一些持久性的非逻辑行为。严格说来，当这种记忆被唤起时，我们似乎不会采取非常理性的行为。这种记忆的结果会对当前的情况做出不合适的反应。有些时候提到像"感情包袱或是有毒记忆"这样的现象，如果我们不承认他们的存在，那么这些联系最后就会妨碍当前的关系往来和健康的交流模式，并且可能有意识地用更合适的反应替换过时的反应。

⊙被压抑的记忆

这种特殊的记忆是被暗暗存储的最痛苦的记忆。这就意味着当我们对这些记忆做出反应的同时，不会把它们和语言联系起来。我们可能太年轻，或是太恐惧，或是太困惑，以至于不能对别人提及这些。然而，我们身体知道这些痛苦——即使我们没有用语言把它表达出来。我们称之为压抑的记忆就在于它是完全没有表达过的记忆。也许这些记忆太痛苦或是太困难，因而不能够分享。尤其是如果当这种记忆是在出现语言之前产生的，用语言描述它们似乎是不可能的事情。一旦我们把语言和这些创伤联系起来，那么创伤就能够被剖切开，能够被理解，就可以治疗。

美国加州大学医学院所做的一项调查表明，在大部分有过精神创伤的幸存者中，60%的人清楚地记得他们的经历——他们或者是幼年被性虐待，或者是经历过战争，或者是遭遇街头暴力，或者是经受过自然灾害，另外40%的人患有全部或部分的健忘症。对于这种遗忘，第一个做出解释的是西格蒙德·弗洛伊德。他称之为压抑，即自觉地把痛苦的记忆从有意识的思想中清除出去。虽然弗洛伊德在大量病人临床实验的基础上来证明这个现象，但直到现在，与压抑有关的一种可能的生物联系才被证实。北克拉利纳大学教授米切拉·加拉格尔主持的研究项目发现，肾上腺皮质激素在压抑和记忆的生物系统中发挥着重要的作用。它们像是一个痛苦障碍，或者是一个记忆障碍一样发挥着作用，在面对无法忍受的精神或身体的痛苦时，会给人提供一种自然的保护机制。

⊙ **压抑与恢复记忆的争论**

心理学家伊丽莎白·洛夫特斯认为，一些人只是短暂的压抑，后期经过努力是可以恢复对过去痛苦的记忆的，几乎没有科学证据可以支撑全部记忆遗忘的观点。尽管过去十几年很少有报道称一些个体在家人和朋友的帮助下恢复了长时间被遗忘的痛苦记忆，但是伊丽莎白·洛夫特斯坚持认为，大部分被压制的记忆是不会被完全遗忘的。大屠杀的幸存者或是退伍老兵对痛苦经历长久的记忆表明，即使当一个人想要忘记那些痛苦的记忆时，环境也会无意地触发他们的记忆，实际上是在一定程度上保证了这些记忆的存在。

大脑中存储创伤记忆的地方——扁桃体，似乎一直存储感情记忆。这种让人深刻记忆的杏仁状结构被称为"我们储存的情感智慧"。它是我们生活中曾经经历过的所有感情活动的储藏室。由于这些活动中很多可能与生存有关，所以将它们储藏起来是正确的。这点同时也表明，完全清除创伤记忆是很难的。

压抑产生的程度标志着精神病学会和治疗学会间的一个热烈的争论。争论的一方认为经历多种感情伤害的人，他们记忆中可能存在一定的"空洞"，它们作为一种自然的精神自救机制而存在。这种"重度的压抑"被认为陷入灵魂之深以至于通过外在的记忆方法是无法恢复的。压抑理论的信奉者则经常倡导用"治疗恢复"方法

（包括催眠）来"恢复"深藏于潜意识中含蓄的记忆痕迹。

争论的另一方认为，那些意志不坚定的人容易受不道德的临床医生的规劝，进而"记住"从未发生的事情。建议很容易影响记忆，为精神压力作辩解的期望之强烈以至于我们真的可以编造原因。

4. 建议力的影响

在伊丽莎白·洛夫特斯和同事所著的关于目击者的回忆研究的经典著作中，实验对象被要求观看了一个幻灯片：汽车在停车牌前暂停后撞击并进入一个十字路口。目击事故后，一些实验对象被问到："当汽车停在'停止'标志处后发生了什么？"其他对象则被问到一个有意误导的问题："当汽车停在'让行'标志处后发生了什么？"后来，每个人都被问到汽车是在停车牌还是让行牌前暂停。

那些被误导提问的人们倾向于记住已经看到了一个已有的标志。研究人员称，误导的建议有效地消除了现存停止标志的任何记忆。

然而，心理学家指出，其他的研究表明，误导信息并不一定消除原始的记忆，但是会导致记忆源的问题——对原始记忆中的实际编码及后加在记忆中的信息的困惑。换句话说，这个人就变得无法识别记忆来源于什么。这可能导致一些十分困惑的回忆，在法庭的陈述中，这是一个特别值得注意的问题。一个人可能对自己记忆力的准确性十分自信，然而，它毕竟是个记忆的综合体，仍然会存在缺陷。

⊙引导

引导是一种能够影响记忆的暗示。引导就是在检索事件前，连续提供精心挑选的内容。研究表明，单词可以通过暴露而无意识地插入一个物体的记忆。当警方对目击者和嫌疑犯施加压力时，有时会使用引导。当律师们提问暗示性的问题时，也会使用这种方法。而父母们在将他们孩子的能量导向某一特定方向时，也会使用这一方法。

用 5 秒钟的时间仔细研究下面的每个单词：assassin（暗杀）、octopus（章鱼）、avocado（鳄梨）、mystery（神秘）、sheriff（治安官）和 climate（气候）。现在想象一下，你先做一个小时自己的事情，然后回来参加几个测验，在测验中，你会看到一系列的单词，并且被问到在以前是否记得见过它们。这些单词是：twilight（黄昏）、assassin（暗杀）、dinosaur（恐龙）和 mystery（神秘）。你可能会记得 assassin（暗杀）和 mystery（神秘）出现在了前面的单词中。接着，你会被告知，你要看到一些拼写不全的单词，你的工作就是尽力将这些单词填补完整。

Ch_ _ _ _nk　o_t_ _us　_og_y_ _ _　_l_m_te

让我们猜一下会发生什么。你可能很难正确地填补两个单词，chipmunk（花栗鼠）和 bogeyman（精灵），对吗？然而，对于另外两个单词 octopus（章鱼）和 climate（气候），你可能会脱口而出。原因十分明了，你刚才看到过 octopus（章鱼）和 climate（气候）这两个单词了。在单词学习中，你被灌输过了这两个单词。浏览列表上的单词似乎就是在引导我们的潜意识。这种练习表明，无论是否为下意识，我们都很容易受到暗示的影响。这种不准确地采用或者调整记忆的倾向被称为潜忆。

⊙ 多大的人都可以被引导

对牙牙学语和刚出生的婴儿的研究表明，婴儿在很早就形成了对妈妈的"偏爱"。在一个实验中，新生儿通过吮吸奶嘴来体现他们所听到的声音，这证明了一个 3 天大的新生儿在听到妈妈声音时会吮吸更频繁，要比听到不熟悉的人时次数更多。婴儿在子宫里已经将妈妈的声音刻在了记忆中吗？也许吧。在另一个研究中，在孕期的最后 6 周里，如果孕妇大声地重复朗读索伊斯博士的故事，那么之后的吮吸实验中则会显示新生儿更愿意聆听他们熟悉的故事而不是以前从没听过的。现在，我们必须考虑到婴儿不只是记忆了妈妈的声音。无论这些例子证明了引导的效用还是别的，它们都显示了暗示记忆的无意识性。这种微妙的影响形式可能不仅能帮助解释新生儿对于已知事物的偏爱，它更能启发我们对于自己个人偏见的解释。

⊙感知

我们感觉所感知的每一个信息都增加了我们的个人经历，并形成了我们的准则。因此，这种感知过滤器，就为我们的各种解释涂上了色彩。这就是为什么对于同一事件，不同目击者的记忆也各不相同的原因之一。人脑是如此复杂，以至于它会自动和无意识地根据过去的经历，用一个不完整的图像、场景或者情节，持续地填充其中的空白。

圣地亚哥加利福尼亚大学的大卫·鲁梅尔哈特证明了我们的感知过滤器是如何在下面这个简单的情节中运作的。考虑下面的两个普通句子：

玛丽听到冰激凌卡车正从街上开来，她想起了她生日时收到的钱，马上跑回屋去。

鲁梅尔哈特解释说：多数人都认为玛丽是个小女孩，当她听到卡车声音时，她想要冰激凌，她跑回屋去是为了取钱买冰激凌。也许，这很明显，但是在这两个句子中，在哪里确实说到了这些？他解释说："多数人都通过个人通用知识的储备，经过一系列的推理，添加或者补充遗漏的部分。"正是通过这些记忆的联合网络，我们认识了图案或者符号的变体。考虑一下你在解释右边图像时感知力所起到的作用。

当你注视这些变形的图像时，你看到了什么？

上图图像不清晰，下图中已经恢复原样，当你观察它们时有什么感觉？你高效的记忆能否填充空白？很可能是的，这说明大脑是如何无意识地对环境做出解释的。1932 年，弗雷德里克·巴特莱特爵士在他的《记忆》一书中写道："过去发生的事情决定了人的态度、期望和知识，而这些又影响了人的记忆过程。"这一矛盾在上一页的记忆赛前练习中已经提到。

⊙失忆的原因

一项研究发现，67% 接受调查的成年人都担心记忆力损失。记忆力减退是由多方面因素引起的：营养不良、脑部受伤、神经系统紊乱、脑瘤、吸毒或酗酒，规定的药物治疗、焦虑或沮丧，由持续的压力而导致的皮质醇的过度消耗、更年期雌激素的减少，或时间的流逝等。

时间的流逝

虽然大脑能够而且的确会在人的一生中不断长出新的脑细胞，但随着时间的流逝，(脑内的)海马状突起部位树枝状枝干的减少、氧气缺失、细胞损坏还是可能导致记忆力减退。这种记忆力的自然衰减可以部分解释为什么我们的记忆力会退化并随时间的流逝而越来越严重。从结构上讲，当记忆潜力不能被练习、使用、良好的营养所支持时，由于越来越没有新鲜事物来丰富大脑，大脑中的联系就会变得越来越少。

在体力逐渐崩溃之前，另一个正常失忆的原因可能是随着时间的流逝，我们所编码和存储的新的经历干扰了我们回忆往事的能力。这样，年纪越大的人受到的干扰越大，也越容易健忘。

心理压力与沮丧

心理骚动对记忆力的伤害要比很多人想象得更大。持续不变的压力、焦虑、悲伤、感情受伤，还有沮丧都是记忆力的杀手。比如，出于对发表一场演讲、参加难度很大的考试、失业或生活的变迁所带来的紧张不安可能暂时减弱我们的记忆力，更为严重的是这些长期阴险的压力。一个年复一年地持续在痛苦的环境中工作的人，正在杀死他的脑细胞。在家庭紊乱环境中居住的孩子经常会经历记忆困难，这些困难导致在做作业或考试中出问题。在任何年龄段，情绪骚动或长期沮丧都会导致严重的记忆问题。因为当生活在一个极端情绪化的状态中时，大多数人往往不怎么注意外部世界，而是更注意内心的痛苦和斗争。但是，为了记住某些事，我们不得不集中注意力。可喜的是，当人们的压力或沮丧心情消失时，记忆的全部功能都能恢复。另外，现在对焦虑和沮丧的治疗方法也能帮助许多人重获他们的记忆力。

5. 当记忆背叛我们

我们突然想不起某个常用的词，我们一直认为正确的东西却被证明是错的……我们的记忆不总是完美的。那么，关于我们自己的经历呢？生动的细节能保证它们的真实性吗？我们能否相信自己的直觉？当把所有这些记忆都当真时，我们能否为自己的直觉而骄傲？

⊙如何知道是真的还是假的

验证记忆是否忠实于现实，这并不容易。如果存在几种说法，在没有"客观"证据时，如何考虑到方方面面来下结论？然而，当不同的人（例如同一个家庭的成员）对同一事件（他们中的一个人童年时期突发的一件事）拥有相同的记忆时，难道不是这些年来达成的共识？许多轶事由于被多次复述会变得更美好，难道不是我们使它变得越来越远离真实？那么，是否存在一些判断依据来区分真实和虚假的记忆呢？

⊙瞬间记忆

"当获知以下事件时，你正在做什么？肯尼迪总统被暗杀时、前披头士成员约翰·列侬被杀时、埃及总统安瓦尔·萨达特遇刺时、戴安娜王妃发生车祸时、'挑战者'号航天飞机爆炸时……"所有这些事件都是精神心理分析家用来研究瞬间记忆的材料。一段带有强烈感情的鲜明而详细的记忆能持续多年，但却常常被错误地用来与瞬间成像相比较。通过公众对重大事件的描述，心理学家可以比较一个为数众多的群体的记忆。在事发后的不同时间段（事后1天或几年）进行调查，能够分离出关于这些事件的记忆的特殊性：清晰度、细节的数量和类型、连贯性等。

"挑战者"号航天飞机爆炸

1986年，一个研究小组记录了在该事故发生时一群学生的活动。3年后，研究小组重新联系这些学生进行询问。结果，大约44%的人有所改动，有些人的说法变得简单，有一些人的说法则变得复杂。后来的描述变得丰富或与第一次描述截然相反的，是对自己的记忆极度自信的一类人，不管再过多久他们的描述都不再改变或添加。

确信与真实不一定一致

瞬间记忆鲜明而详细的特点与由此产生的确信，都无法确保其真实性。那么这种确信从哪来？主要是通过伴随记忆的鲜明感觉和精确细节来发挥效力。对真实事件的改变和附加仅仅是"善于讲故事的人"的装饰，有时候，新的元素在不为我们所知的情况下悄悄地潜入我们的记忆中。

⊙ **修改记忆**

一般瞬间记忆的真实性问题并不具有重要性。但是，如果在司法背景下判断记忆是否精确则是另一回事。打比方来说，被传唤来的目击证人在陈述事故时，其可靠性到底有多大呢？

诱导效应

在一个实验中，美国心理学家伊丽莎白·洛夫特斯和约翰·帕默放映了 7 段关于交通事故的短片。在观看完短片后，他们让被测者描述观察到的场景，然后回答一系列的问题，其中一个问题是"汽车在相接触时的速度大概是多少"，但这个问题不是以同样的方式向所有人提出的，对不同的被测者"相接触"这个词可能用"相撞""相碰"等。结论验证了研究人员的假设，如果使用的是较强烈的词，得到的是一个较高的数字评估：使用较弱的词时估计的平均速度是 50 千米 / 小时，当提到猛烈碰撞时估计的平均速度达到 65 千米 / 小时。

错误信息效应

另一个实验中，在被测者观看一段交通事故短片后，分别给他们一份关于这起交通事故的书面报告。一半报告中存在部分错误信息，例如用"停车"指示牌代替了短片中的"让行"指示牌。然而，当研究人员询问被测者是看到"停车"指示牌还是"让行"指示牌时，15% ~ 20% 的人确定看到的是"停车"指示牌。

权威肯定效应

美国心理学家索尔·卡森设计了一个实验，被测者在一个实验助手的监督下用电脑输入一段话，事先，他们被警告不要触碰 ALT 键，否则电脑可能会死机，并且资料将丢失。实验中，电脑突然死机，然后实验助手指责被测者触碰了 ALT 键，刚开始被测者都否认。事实上，没有任何人按了那个键。在一半的情况下，实验助手假装看到被测者按了 ALT 键；另一半的情况下，他假装什么也没看见。接着，实验人员制定了一份坦白书要求被测者签字，69% 的人签了字，其中 28% 的人相信自己按了 ALT 键。被实验助手指控并打字极快的被测者全部都签了字，并且 65% 的人承认是自己的错，甚至 35% 的人还创造了某些细节来确认自己的罪行！

⊙有争议的儿童记忆

常言道"童言无忌"。那么，儿童的记忆带来的又是什么？他们的记忆总是真实的吗？是否被"狡猾的"成人的意见影响了？

萨姆·斯通的故事

这是 1995 年做的一个实验，一群孩子事先听了许多关于一个名叫萨姆·斯通的陌生人的不良评论。之后，萨姆·斯通来到教室呆了几分钟，并和蔼可亲地与孩子们进行交谈。但当孩子们被问到萨姆·斯通是否会做出可能令人不快的事情时，比如撕书、弄脏毛绒小熊，在 3 ~ 4 岁的孩子中，5 个中有一个肯定自己看到萨姆·斯通犯了错，而实际上他完全无罪。当研究人员提出倾向性的问题时，接近一半的孩子指控萨姆·斯通犯了错。而年龄再大些，约 5 ~ 6 岁的孩子中，6 个孩子里只有 1 个提到"嫌疑人"可能会犯错。而且孩子们关于萨姆·斯通犯错过程的叙述颇为详细，好像真有那么回事一样。

对错误的顺从

大量实验表明，学龄前儿童或更小的孩子更易受教唆。但由于成年人歪曲事实的可能性更大，因此许多案件都依靠儿童的证词。

坦率性的问题（发生了什么？）更有可能得到一个可靠的证词。相反，倾向性的问题（他是这么做的还是那么做的？）即使问好几次，还是会降低获得真实答案的可能性，就像孩子们面对强制性的选择时（白的还是黑的？）经常会回答"我不知道"一样。

然而，坦率性的问题被反复提出，就可能促使儿童认为自己的第一个答案不太正确，从而做些改变去顺从成年人的期许。事实上，无论是明确的还是含糊的威胁或承诺，儿童都格外敏感。

而且，实验结果表明，儿童不会像鹦鹉学舌那样单纯地复述，而是提供更富有想象力的证词，甚至可以骗过最有经验的专业人员。

毫无疑问，为了取悦成年人和获得成年人的信任，儿童的记忆在压力下会变得更为脆弱。

第三章
记忆术概述

记忆术简史

1. 记忆术简史

已知的最早的记忆术可以上溯到古希腊时期，它在古代修辞学（辩术）中扮演着关键角色。更确切地说，记忆术已使用了 2000 多年，在 6 世纪开始缓慢衰落前，对西方文化艺术方面的作品和行为都产生了深远的影响。

⊙ 日常常用的记忆术

大约在公元前 400 年前，古希腊一个撰写条约的抄写员极力推荐有助于记忆的 3 条原则：集中注意力、重复、与已有的知识建立联系。例如，为了记住"勇气"一词的概念，可以在脑海中构想战神阿瑞斯或者特洛伊战争英雄阿喀琉斯的图像。

组合记忆法

约编撰于公元前 86 ~ 前 82 年的《献给海伦留姆》提出把伴随着所有思维的"天生"记忆同"人造"记忆区别开来，后者通过组合加工可以更好地把想法或词语固定在脑海中，从而强化前者。演说家、政治家或者律师经过长期锻炼，可以不求助于任何笔记即席演讲（脱稿演说），并且在任何时候都不会忘记自己的观点，比如在参议院或者诉讼中的一段讨论中断时。像西塞罗这样伟大的演说家，可以在几小时内不求助任何辅助工具不停地演说。

组合法不仅便于记忆观点，还适用于对词汇和文学作品的记忆，甚至倒着背一段演说或者一首诗歌。

地点与图像记忆法

"地点记忆法"最早是由希腊诗人西蒙尼·德·瑟奥斯提出的。这种方法首先要在脑海中创建一条记忆路线，例如散步时的休息处或一幢房子的构成元素（门、厅、柱子）等，然后在每个"地点"放置一幅与需要记住的想法或词语相关的图像。

记忆的空间支持思想对我们来说并不陌生。例如，我们很容易想象一条关于自己熟悉的房间或者城市的路径，并且知道如何辨别不同的地点和找出与之相关的特征（一幅挂在墙上的画）；我们能自觉地运用空间的比喻（首先……）来引发一系列的联想。

我们借助图像识别星群——大熊座、公牛座、狮子座等，正如历史学家所说的那样，这些图像不是由某些早期人类凭空幻想出来的，而是为了让人们更好地掌握夜空中星星的位置。诗人西蒙尼的故事也许是个杜撰的传说，但地点记忆法却最终成为我们永不忘记的记忆术。

⊙服务于基督教的记忆术

公元 1 世纪，基督教的兴起将记忆术引入了宗教领域，从此，它就开始被用于精神救赎。

不要忘记上帝：沉思与祷告

记忆术的应用首先出现在最初的修道士身上，普通信徒履行完家庭与社会职责后就从现实生活中退隐，致力于祷告和经文的记忆。在祈祷或者冥想的时候，精神游离的可能性是很大的，有时候思想会落在日常活动而非上帝身上，借助记忆术有助于集中思想，心理成像法能够阻止我们"糟糕的好奇"。与此同时，通过构建心理图像也便于记住《圣经》中有难度的片断，更好地掌握基督教的教义。

记忆术和基督教艺术

在宗教生活中，心理成像法占据了重要的位置。它不仅给祈祷或者冥想，也给所有基督教艺术（文学、绘画、建筑等）提供了灵感。美国女研究员玛丽·卡瑞特斯追溯了整个中世纪的记忆术历史，她发现心理成像法是当时思想的重要工具。

事实上，记忆被认为是把知识归于己有的最佳方式。这不只是涉及用心强记，最终的目标是"掌握"或者"吸收"知识，正如今天我们对一个学校科目所做的那样。人类的记忆能力是极其巨大的，伟大的理论家托马斯·阿甘（1225～1274年）能够先在脑海中构想作品的主要内容，也就是说不求助于笔记或者手迹，之后再同时让4个秘书来记录他述说的内容。

记忆书

中世纪的一些作家具有高超的"熟记"本领，他们能够像在书中或图书馆中查找资料那样，在自己的脑海中"检索"知识。

在古代的手迹中，词汇或者句子之间并不是相互断开的。如果以不同的方式断句，一首用拉丁文写就的著名诗歌读起来就像一首希腊文的诗歌。引入标点符号的目的是为了断开一篇文章，使其成为容易记忆的小单位。中世纪的手迹或者章节，起首的字都以色彩或图案装饰，目的是帮助读者记忆文字内容。起始字母周围的点缀图案概括或暗

🔵 上图是18世纪弗雷德里克二世创作的《猎鹰训练术》中的一页。封面上大量的彩色插图除了装饰作用外，还有着帮助记忆的功用。

示了文章内容，是用来引导背诵的。在书页的空白处，我们有时候能找到一幅有助记忆的隐喻插图，这也是用来提醒阅读或者祈祷的。

⊙ 所谓的记忆术

从中世纪末开始，甚至在印刷术出现之前，在大学教育中有过一次背诵与其他口头记忆形式的衰退，越来越多的学生使用手抄本和书籍来学习。一些人文学者，比如伊拉斯谟（1469～1536年）和梅兰希顿（1497～1560年），甚至公开标榜自己对记忆术的怀疑，他们极力鼓励用"学习、秩序和应用"来代替地点和图像记忆法，并禁止学生使用所谓的记忆术。中世纪作家曾采用一系列的评论与批注来阐明宗教文章，宗教改革者则认为没有这个必要，那些文章在他们看来只读一遍就能理解。

在蒙田（1533～1592年）的散文中，他说得更犀利："我们只为填充记忆而工作，而让理解和知识保持虚空。" 渐渐地，记忆术变成了既得知识的"机械性再生产"，同推理和想象完全对立。直到19世纪，修辞的原则和记忆术才继续被讲授，但是越来越不受重视，这可能源于福楼拜在他的小说《布瓦尔与佩居谢》（1881年）中给了地点记忆法致命的一击：两个相依为命的主人公有着同样的名字，他们试图利用记忆术去记住事情发生的时间、制定他们沉醉其中的无数未完成的目标，但最终他们都失败了。为了简化记忆，他们将住所的每件东西都假想成一个不同的事物，整个村子都失去了原来的意义，苹果树是家谱树，灌木丛代表战斗，他们生活的世界全都变成了记号。他们在墙上找到大量消逝了的东西，看完就毁掉，却不知它们何时会再现……

2. 从简单的窍门到记忆策略

记忆术的悠久历史体现了记忆力的重要性，这一重要性已被我们认识到。然而，这些方法至今仍有效吗？简单的窍门和神经心理学发展的策略之间是否存在区别？

⊙ **"记忆不是肌肉！"**

有些人想知道是否存在对记忆的训练，对这样的问题，专家们经常给出这样的回答：我们能够从中得到什么？

对于我们中的大多数人而言，遗忘或者记忆"空洞"只以点状方式突然降临。自然的衰老会导致我们记忆力的下降，随着生命的演进，我们发现遗忘变得更频繁，而学习进度变得更缓慢，并且必须投入更多的努力。是否可以减缓记忆力衰退的进程，一直保持良好的记忆力？

记忆是一个复杂的行为

记忆力不只是一种记录的能力，更是一种能够过滤的能力，因此我们会有所遗忘。记忆过程通常是复杂的，在进行信息处理时会调动不同的记忆形式，各种记忆形式之间的协作会随着不同的行为而不断改变。诚然，由于不断重复同一件事情，我们总能一次比一次做得更好，但是这种方式并不完全适用于别的方面。一个深受周围人喜爱的法文歌曲业余爱好者能够轻易引述诗句，却总是忘记亲朋好友的生日；一位拼字大师不管遇到什么样的字谜，都能以极快的速度解答出来，却会因为每星期至少三次想不起某个名人的名字而发愁；一个网球迷能记住所有大型世界巡回赛的日期，却从来都记不住法国大革命爆发的时间……

事实上，关于自己的事我们往往记得比较好，而其他方面就要费点劲了。经常玩拼字游戏或者背诵诗歌并不能让我们更容易记住把车停哪儿了或者饭后吃药。对于这类情况，记忆术或许能提供一定的帮助。

健康的生活方式和对某一活动强烈的动机都有助于记忆"保持

好的状态"，但务必要保证从各种活动中获得乐趣。

对多种情况适用的法则

如果不停地重复，我们将会极少忘记某人的名字、一次约会或者放钥匙的地方，但这是个繁重且令人生厌的方法。幸运的是，存在几条简单且绝对实用的法则可以加速学习过程，使记忆变得更容易。它们不仅适用于日常生活中大量简单的记忆任务，如果配合合理的方法，还可用来学习和记忆复杂的知识。

这些法则都是广为人知的，我们几乎无时无刻不在以自觉的或潜意识的方式应用着它们，尤其在我们的专业技术领域。

为了防止记忆衰退和避免健忘，只要目的明确，并付出必要的努力将这些法则付诸实践，那就足够了。面对一项全新的或者复杂的活动（比如以前从没接触过的会计），在没有找到最合适的方法前需要经过更多的摸索。

⊙ 记忆术提供的策略

记忆术提供的策略虽然有些局限，但在某些方面还是非常有效的，其中大部分策略都被教育界借鉴过，而这并非偶然。

在学校的运用

当必须以正确的顺序复述一段诗文、一个关键句子，或者一个提纲中具有抽象特征的信息时，就急需求助记忆术了。在考试时翻书或询问他人都是被禁止的，再加上巨大的心理压力，很可能引起记忆"空洞"，这时也需要运用记忆术。

在日常生活中的运用

记忆术在学业之外的领域的应用就更加局限了。因为，我们能够记住的信息不能太多和太复杂，而且节奏也不能太快。

但是，日常生活的一些情况中，记忆术还是可以发挥作用的。例如，密码（银行卡的、通行证的、电子邮箱的）和信息口令可能被设置成一系列不存在任何逻辑关系或特殊意义的数据，而且，我们也不能把它们写下来，否则有暴露的危险。这种情况下，应该在第一时间找出适用的策略简化对数据的记忆，那么以后，特别是在一段时间没使用之后，回想起来就会比较容易。

记忆术也能帮助我们在极短的时间内记住少量的信息，例如当我们手头没有纸或笔，不能立即写下电话号码和地址时，在记忆元素之间建立联系比简单机械地重复更有效。

⊙记忆术的长处与短处

心理成像或双关语都可以作为技巧用来记忆不常见的专有名词，或对应名字与面孔。在脑海中创造一个与词汇的发音或意义相关的图像，同样有助于记忆外语词汇。

一切皆有可能

最优秀的记忆术在理论上适用于每个人。积极与恒心足以使你正确回想起游戏中所有卡片的顺序，或记住整本字典。然而，想要更灵活地运用记忆技巧就需要进行训练，并对记忆术抱有兴趣。令人惊奇的是，即使是擅长记忆术的行家里手，在面对一些不太特别的材料时（尤其是教学方面）也似乎更乐意用其他的记忆方法。

记忆术是最好的方式吗

事实上，记忆术存在一些在我们看来"不太聪明的"程序，因为记忆术的运用似乎依赖一个符合信息本身的逻辑。例如，为了记忆哺乳动物的生物学分类，我们可以死记硬背或者利用记忆术。但是，我们也可以先写下来，在理解分类所依据的标准后，再进行记忆。这种方法看起来似乎更好，而前一种方法则给人留下"差学生"的印象，因为没有很好地理解课程而不得不在考试前一天死记硬背。然而，这两种方法的基本原则非常相像，都是将新信息与已掌握的信息联系起来。但是，前一种方法是任意地创造联系，就像地点记忆法所做的那样，相互建立联系的信息之间可以毫不相干，而第二种方法则需要利用既得的知识去建立更有逻辑性的联系。

⊙**量体裁衣的策略**

策略一词最初的意思为"将领的艺术"，即规划与领导战争的行动。依此类推，我们可以定义记忆的策略为计划与引导学习、储存和重组信息的艺术。

20 世纪 70 年代后期的大量调查研究表明：能够辅助我们完成各种学习任务的记忆术在学校中被使用的最多。由于不同的记忆术策略适合于不同种类材料的记忆恢复，我们不能"以不变应万变"，而是必须要决定哪种策略更适合你，哪种策略对于你正在进行的学习任务会最有效果。

适用于具体的情况

我们所使用的策略越是恰当，记忆将越有效率，即越持久和完整。为了记住一小时后应该给朋友打个电话，最好是在电话机旁边放一张便签，而不是在手绢上打个结。后一种方式的不便之处在于无法清晰地指明必须要做的事情。为了不在一个陌生的城市迷路，我们会试图在脑海里构建一张地图，但是步行、开车或坐公共汽车所默记的地图并不相同。

适用于自己

好的策略应该适用于自己，应该考虑到自己已知的信息，将已掌握的知识转移到一个新的领域，或者正相反，防止两个不同领域互相干涉。例如，法国人在学习英语时会碰到许多两种语言共有的词汇，这就需要特别注意"假朋友"，因为有些词的书写完全一样或者相近，但意思却完全不同。

再者，好的策略还需符合自己的个性。一个健谈的人可能更偏爱通过对话学习外语，即使最初会犯许多错误；一个喜欢阅读的人则可能通过阅读原版小说学习外语；而一个比较内向的人更倾向于在正规的教学培训和埋头专研语法书或者练习教材后，再实践自己的知识。因此，每个人都有自己的学习"风格"和动机。

以上两点，前一点与个体精神活动的特殊性有关，后一点则与个体的兴趣和意图有关，可见并不存在发展记忆策略的笼统的"秘诀"，但是一切都遵循几条主要原则。

3. 记忆策略的主要原则

长期记忆几乎拥有无限储存信息的能力。但是，在需要的时候对信息进行重组则依赖于我们"处理"信息的方式——这些方式不仅可以巩固记忆痕迹，还能易化对信息的重组。

现在我们知道，通过感觉器官所察觉到的一切，都由视觉记忆、听觉记忆、嗅觉记忆和味觉记忆快速过渡中转到长期记忆中。这种临时记忆只能够在极短的时间内（一般为 20～30 秒，最多 90 秒）记住有限的信息量（平均 7 个），并且这种记忆极易受一些因素影响，比如干扰噪音。除了注意力的因素外，情感也在记忆过程中扮演着重要的角色。

为了能够以有限的方法处理多样的信息，记忆系统不仅需要对信息进行筛选，还要以有利于存储和重组的方式组织信息。

⊙组织信息

没有什么比学习"没头没尾"的东西更难的了。当我们每次遇到不协调的信息时，都会先尝试把握其意思或者逻辑，再与已知信息建立联系。一旦联系建立了，记忆也就变得简单多了。

重新组合信息

为记住一系列的东西，最常见的方法就是改变原来的排列顺序建立总体连贯性。比如，在准备采购单时，尝试根据商场或柜台的

超级记忆术

位置重新组织物品，以避免不必要的往返和遗漏。

还有一个方法就是减少东西的数量，通过重新分组形成更简单的组合结构。例如在记忆手机号码时，最好是分 3 对数字进行记忆，而不是记忆 11 个孤立的数字。如果你是一个电影爱好者，想清楚地记住"詹姆士·邦德"的所有影片，可以根据扮演 007 的演员来将影片分类，从而简化记忆任务。

与已掌握的知识联系起来

在语义记忆中存在着一个复杂的联系网，使我们能很快处理所有新信息。比如，我们能直接辨认出一条新信息，很可能是因为先前有过什么征兆，或者我们将它与别的信息进行了比较。再比如，在树林里散步时，我们能认出路边的蘑菇，这是因为之前我们学过如何辨认蘑菇，就算不知道它的具体名称，但至少知道它是个蘑菇，是属于蘑菇家族的，可能与牛肝菌有点儿关系。

分类、做笔记与事先计划

对信息进行分类是记忆过程中应遵循的一条原则。在信息之间建立等级联系，或将它们集中到同一类别的知识条目中，是保证成功重组信息的最有效方法之一。知识有条不紊的特征使得由特殊到普通再到另一种特殊的转化变得轻松，而一个杂乱无章的目录哪怕再简单也必须从头进行一次心理浏览，才能找到需要的东西。

上课或开会时最好做些笔记，随后如果能将其整理一下或做个提纲那就更好了。同样，参考提纲或资料表有助于更好地理解课堂内容，这些内容提要可以给我们提供一些线索，能增加完整回想课堂内容的机会。

在实际生活中，比起一大堆便签之类的提醒记号，或者备忘录中无序的约会列表，合理的日程安排能够提高时间利用效率，为自己赢得时间。即使是为假期做准备，日程表也是必不可少的，它能帮助我们有步骤地处理很多方面的事情（住宿、饮食、交通），避免节外生枝。

概括来说，"规划"是为了对信息进行加固、集中、联系、分类、组织、概括，信息不停地被重复和"处理"，可以巩固记忆痕迹从而方便回想。因此，所有好的记忆策略都取决于对信息的规划。

⊙联想：建立联系

联想是将你想要记住的东西和你已知的东西之间形成智力联系的过程。尽管许多联想是自动产生的，但是联想的意识创造是将新信息编译的一个极好方法。将一个事物与另一个事物联系起来，更有利于我们记忆。在游览古希腊雅典卫城时我们会聊起在巴黎的趣闻轶事，在帕特农神庙前我们会惊呼"传说雅典娜的教堂……"。大多数时候，我们会不经意地做出这样的联想或比较。当我们乍一眼看到什么东西时会想起另一些事物，这些事物之间没有联系，和我们掌握的知识也无关。因此，在记忆时需要有主动激发联想的行为。还有一些客观存在的情况也会激发联想，比如词语的发音或字体等。

与其死记硬背，不如用某种方法将分散的信息联系起来，寻找口头的或可视的逻辑性，或者发挥我们的想象力。

⊙构建心理图像

在进行复杂的计算时，比如4乘以18，你是把中间过渡部分（4乘以10等于40）写在纸上呢，还是在头脑里想象？不确定如何拼写一个单词时，你会想象一下可能的几种写法，然后再决定哪个写法看上去更为熟悉吗？假如有人要你倒着说出一个词，你会先尝试在脑海里浮现出这个词的正常顺序吗？如果答案是肯定的，那么你已经运用了心理成像法，这是最有效的记忆法之一。心理成像能使我们记住较为复杂的信息，也适用于非常多变的状况。

视觉重现

心理图像是对具体视觉感知进行想象后的综合图像。如果有人要你想象一只狗，出现在你脑海中的图像可能涉及多种形态：带有狗的基本特征的图像、你自己养的狗的图像，然后增加或删除一些细节，并添上你想象出来的颜色和动作（比如奔跑）等。你可以将自己想象的狗的模样画下来，拿它同真实的狗（一幅图或者一张照片都可以）比较一下，看看你对于狗的想象是否符合现实。

如何从中受益

在传统学习模式下，心理成像法是很重要的，应用也相当频繁。举个例子，要记住一个城市或一条道路的方位，最好将它们以地图或平面图的形式存放在记忆中。与其放弃统计数据里的一些细节，不如利用图表（几何曲线、分布图等）来牢记各种数据。同理，一份组织图能帮你准确分析事物的结构，一个树形图能更清晰地表明分类逻辑。

在日常生活中，心理成像法有助于想起丢失物品的过程，或者在出门前找到抵达目的地的最短路径。

⊙ 记得更牢固的有利条件

组织、联想和心理成像是记忆的 3 大策略，还有一些条件能够提高这些策略获取和重组信息的效率。

合理划分学习阶段

在复习功课时，1 个小时复习 10 次比 10 小时复习 1 次要有用得多。将学习材料划分为不同的部分，然后依次进行，学习新内容前先回想一下已学的内容，每个部分内部要先从简单且容易理解的入手。

进行双重编码

前文提到的许多例子不只调动了唯一的手段——心理成像或对

字面意义的分析——而是使用了双重编码。双重编码的效果非常好，要想学得好，最好一边听课一边做笔记，列些提纲或图表等将帮助你更好地掌握课堂内容。

从既得知识中获益

我们可以对既有知识进行修改和补充。根据既有知识分配学习任务会更有效，这就是为什么专家们在自己熟悉的领域能更快地掌握新信息的原因。同时，我们也可以从新的学习中获益，梳理和更新既有知识，补充新的细节或建立新的联系。

转换视角

如果要为一个工作会议做准备，事先你需要想象不同与会者会如何领会你想要说的内容，预测他们可能会提出的问题，以防临场不知如何作答。

同样，在与银行顾问进行业务会面前或在医疗咨询前，不仅要把你想提的问题记下来，还要考虑对方可能会问你的问题。事前有了充分准备，临场忘记主题的可能性就会降低。

⊙ "我想起来了！"

当回忆与学习的背景相似时，信息重组将更容易。因此，要弄清楚你在什么样的背景下才能回想起来。

如果不得不去地下室找某些东西，可以先在脑海中想象它们所在的位置，那么等到了地下室你就不太容易忘记要找什么了。如果找不到某样东西，那么想想你是从什么时候开

⊙ 当回忆与学习的背景相比时，信息重组将更容易。

始找不到的，回忆所有相关的元素从中找出有用的线索。

想象一下，你出席女儿学期末领取奖学金的仪式。事后，女儿要你给她拍张照片，你却发现相机不见了。在慌乱地寻找前，先尝试在脑海中重现你可能在什么情况下把它丢在哪了：它最后一次在你手里是在什么地方，周围环境如何，你和谁在一起，你们谈论了什么，几点钟，光线如何，当时你闻到了什么气味，听到了什么声音，自我感觉如何……回到你经过的所有地方，想想当时发生了什么，或者站在其他路人的角度想象他们可能看见了什么……

⊙练习很重要

如果不配合以练习，那么再好的记忆策略也将无效。想要改善记忆并非难事，通过训练能使我们形成适合任何情况的习惯性动作。同时，还应该给自己时间以适应不同的记忆策略。注意，每个人都有自己独特的解决方案。

记忆规则

1.我的记忆能提高多少

⊙记忆的潜力

当我们探讨提高记忆力时，我们并不像谈论心血管健康问题那样具体或可量度地来讨论。增强记忆力有些像提高高尔夫球技——涉及到一些动力学。同样，形成一个极佳的记忆也并不是一个秘密。由于记忆像高尔夫俱乐部一样种类繁多，那么我们也推荐一些种类的记忆方法。这里所介绍的方法为有效运用一系列记忆手段提供了基础，这些记忆手段我们合称为记忆术。然而，就像熟练目标击掷、轻击、击球一样，使用这些规则和训练良好的技能是你成功的保证。运用记忆方法是简单而有趣的事情。只要你使用了这些方法，哪怕是最低限度的运用，就已经是在开始挖掘自己最丰富的记忆潜力了。

一般情况下人类的记忆容量很难估量。但最近一项关于大脑的研究证明了专家们一直以来所断定的：我们大脑的容量远远超出自己的想象。事实上，一些科学家认为普通人的大脑在长期的记忆中可以容纳1000万亿比特的信息量。

然而，大脑的结构要求我们储存有意义而非随意的信息。因此，记住一个任意的社会保险号或一个难懂的概念需要一个比记住你喜欢的东西更复杂的策略。普通人一次只能记住3～5比特或块的随机信息，但每部分可能又包括另外3～5块信息——有些像俄罗斯套娃玩偶，每个玩偶都装在更大的一个里面。因此，假如一个社会保险号有9位数，当被归纳成次集合时可能很容易就被记住。这种所谓的团块策略，说明了大脑如何被训练得可以更有效地运作——来加工和记住更多的信息。

⊙记忆术的作用

本质上，记忆术是记忆的工具。该词的本源可追溯到1000年前或更久远些。古希腊人非常崇拜记忆的力量，以至于一位象征着爱与美化身的女神被命名为摩涅莫辛涅——意思是"不忘的"。那时古希腊和古罗马政治家们想出了许多记忆的策略来帮助记忆大量信息，通过这些策略使长老院的演讲与辩论在听众中留下深刻的印象。在现代，这个词通常指的是记忆方法。既然我们将记忆理解为包含三个要素——编码、保存、读取——的一个过程，那我们就总结并增加了曾被古代演说家用过的一些记忆法。

⊙即使没有很好地编码也能重获信息吗

记忆也许不可能是精确的，更有可能的是你一旦获得信息就会马上识别出来。例如，在一个多重选择的格式中，像一个评论问题中需要的那样单独记忆。另一方面，如果没有很好地编码、保存信息，没有采用策略性的记忆方法，那就没有恢复信息的希望。但是这三个过程中的每一个都能提高你成功的概率。事实上，每一种提高记忆力的系统、规则、记忆过程、策略、种类、观念或洞察力，都与这三种关键的记忆阶段中的几个或全部有关。

2.编译记忆的原则

⊙积极的态度和信念

最重要的编译记忆的原则，是你真正相信自己能够学会和记住你想得到的。这种情况下，你的身体放松并且聚集了所有完成手边工作的能量。积极的态度会产生成倍的效果：它最终改变了你大脑中的化学成分。积极的态度促使多巴胺————一种良好的神经递质产生。就像一台从地基循环取水的抽水泵，乐观促生了多巴胺，多巴胺反过来又提升了乐观情绪。第二，积极的态度有助于产生更多的去甲肾上腺素和另一种神经递质，这种神经递质为你提供了作用于动机的生理能量。第三，建设性的思考可以刺激大脑前叶，有助于长期计划和判断。总之，积极的状态远胜过"盲目乐观的效果"，它实际上刺激了你用来学习的大脑。

⊙准确的观察

我们大脑中的大部分信息都是无意识的。伊利诺伊州立大学的埃曼纽尔·唐琴博士认为，我们加工处理的超过 99% 的信息都是没有意识的。为了避免被无数的感官琐事所轰炸，人类的大脑学着有意识地只关注那些被认为是重要的信息。我们尤其关注那些威胁到我们生存的事物。当我们每分钟随机感知数以百万的信息量时，我们确定要记忆的信息必须有意识地被提示给记忆系统。这里动机在起作用。为了确保准确的编译被引入信息，你必须下意识地集中注意力。不管你是否真的感兴趣，积极主动地集中注意力能更好地储存和恢复记忆。

　　你观察、听到和思考的事物越多，记忆的可溯源就越深。注意闻一下是否有些气味存在，如果有就在心里默默记住。听一些平时不容易注意的事物——背景噪音的变化或音量的增减。写下那些特别有意思或重要的信息；绘制图画、图标或标出数字来说明一个要点；检查你确认的感知是否准确。闭上眼睛想象你所听到的。在脑海中回想这些信息并用你自己的语言重新组织。你潜心感受的越多，初始记忆的编码就会越强。

⊙ 考虑背景因素

　　编译记忆的另一个关键因素是考虑背景。背景则意味着更宽泛的模式——输入的意义、环境、原因。当我们第一次关注大幅图画时，所有的细节问题更关键，知道了图画是怎样组合在一起后我们就可能理解和记住信息。例如，想一个拼图玩具。通常的方法是通过比较方框中的图片来确定邻近的部分。换句话说，整体为理解部分提供了必要的背景。

　　当我们第一次观看图画时，细节更重要。比如，教人打高尔夫球，得分会使他们对"标准杆数"产生一个更好的背景理解。

想象一下学习一项新的运动，比如，你亲自打了比赛并且得分了之后才会记住"标准杆数"或"转向架"这些高尔夫中的专业术语。同样，当你一遍遍试着击球到400码远时你才能确切地领会到这一距离的实际意义。

⊙ B.E.M 原则

　　缩写词 B.E.M 表示开始、结尾和中间。你接收信息时很可能按这一顺序来记忆。换句话说，更容易记住的是开始时接收的信息，接下来是结尾接收的信息，最后记住的才是中间部分。

为什么会这样？研究者推测在接收信息的开始和结尾时存在着一个关注偏见。开始时固有的新奇因素和结尾时感情释放在我们大脑中酝酿产生了化学变化。这些化学变化加上学习使之更容易记忆。因而，如果你想记住中间部分的信息，就应当运用一个记忆方法并且给予这部分特别的关注，以确保对它们进行更牢固的编码。

⊙**主动学习**

通过一个练习的形式我们可以更好地理解主动学习的概念。因此，思考下面两组序列：一组数字和一组字母，花几秒钟来记忆每一组。

149217761812190019171796319 70

NASANBCTVLIPCIAACLU

一般来说，大多数人都会费时来记忆这些抽象的数据，除非他们运用记忆术——我们就打算运用它来记忆。这次，我们将它们分成3、4个一组再浏览一遍，使之在某种程度上让你印象更深刻。用视觉图像或联想的方法将数据中的小块相互联系在一起完成记忆过程。例如，你可以引用历史中一个著名的数据（哥伦布开辟欧洲新航线的时间）"1492"将开头4个数字联系在一起；然后，你通过另一种相关想象把它与接下来的一组数字联系起来（这一回是关于《独立宣言》）。在这里，虽然是为了易懂提供的两组显而易见的例子，但事实上，你的确可以运用这种联想记忆法记住任意次序的字母或数字。

你刚才所做的实际上就是"主动学习"。当一个人处理信息或用它做实验，或者被要求来解决一个与之相关的问题时，他可以通过多种记忆方法来编译信息——视觉、听觉和知觉的——以此增加恢复记忆的机会。加工处理新的信息可以在你大脑中产生更多联想并且巩固已有的联想。这里有一些用于塑造记忆肌肉的可靠而真实的策略：

（1）讨论新的知识。

（2）阅读新的知识。

（3）观看一部相关的电影。

（4）将信息转化为符号——具体的或抽象的。

（5）运用新术语和概念做一个填字游戏。

（6）写一个主题故事。

（7）绘制相关的图画。

（8）分组讨论新的学识。

（9）在头脑中描述新的学识。

（10）编一些相关韵律和歌曲。

（11）将身体运动与新学识联系起来。

⊙**分块**

正如前面所述的主动学习的例子，复杂的题目或一长串信息元可以分成易掌握的块儿来理解和记忆。例如，电话号码、信用卡、社会保险号总是被分成 2 ~ 4 个数字一组以便于记忆。有意识的大脑一次一般只能处理 5 比特的信息量，而这一数量又与学习者的年龄和已有的学识有关。一般说来，1 ~ 3 岁的婴幼儿一次只能记住一条信息；3 ~ 7 岁的孩子可以记住两块儿信息（或根据指导一步步来）；7 ~ 16 岁的孩子能记住三块儿信息；大于 16 岁的则通常可以掌握四块儿或者更多信息。

不管你的年龄有多大，将抽象的信息分成易掌握的团块能够增强你的记忆。这里还是前面主动学习练习中用过的两组相同的数据，只是这次我们把它们分成团块。当然，没有正确与不正确的团块次序之说；唯一重要的是它们对你是否有用。我们已经使用了一些简单例子来说明，接下来的方法将教你怎样对那些提示不怎么明显的信息进行联想。

我们现在将上文中那个主动学习的例子分成下面的团块，以便更有效地进行记忆编码处理。

1492.1776.1812.1900.1917.1963.1970

NASA.NBCTV.LIP.CIA.ACLU

⊙加入情感

不论何时，一个人情感的加入，都在很大程度上可能形成对事件更深刻的印象。激动、幽默、庆祝、猜疑、恐惧、惊奇，或者任何其他强烈的情感都能刺激肾上腺素的产生，同时也刺激着扁桃体结构。举个例子，如果你作为贵宾出席一场令人惊诧的聚会，那么你会感觉到情感对记忆的影响力。在这样一个时刻，这个活动会因肾上腺素的释放，大脑情感中心和扁桃体结构的刺激而变得记忆犹新，从而也促进了编码和恢复记忆。

恐惧为长期记忆中某种情感的根深蒂固提供了典型例子。你4岁时，有人恃强凌弱从你身后鬼鬼祟祟冒出来，将一条蛇猛推到你脸上并大声恐吓，这种经历在事情发生的那一刻留下了深刻的烙印。为什么？因为强烈的恐惧感刺激产生了肾上腺素——使身体免受畏惧和惊吓的生存反应；因此，生物化学认为这种情况是重要的。一条蛇或以后类似的刺激物在你余生中可能触发相同的自动反应——有意无意地导致了令人讨厌的恐惧症（在治疗中），这种强烈的编码将被重新组织。然而，由于恐惧感使人印象深刻的特性，我们通常要推荐一个资深医生来治疗。

⊙寻求反馈

"你看到了吗？"无论何种情况，当我们见到一些不寻常的事物时，我们的反应或者是不相信，或者是和别人核实。这是一个聪明的策略。你要确保自己的所想、所见、所闻是真实的。寻求反馈是一个自然且基本的学习手段，它有助于我们在形成不准确的记忆之前将假象减小到最低点。反馈的过程有助于增强我们的感知，从而增加记忆事物或刺激物的可能性。反馈来源于多种形式。提问是其中之一。即便答案并不恰当，个人对信息的涉入也能加深编码。

3. 增强记忆力的原则

⊙ 获得充分的睡眠

研究表明，白天学习时间越长，夜里做梦可能就会越多。我们做梦的时间，即所谓的快速眼动睡眠，可能是学习的一个巩固期。快速眼动睡眠占据我们整个休息时间的25%；也有人认为它对睡眠是重要的。这个假定有事实支持：大脑皮层的一部分被认为在长期记忆过程中起关键作用，而其在快速眼动睡眠期间是非常活跃的。其他的研究表明，快速眼动睡眠中老鼠大脑的活跃方式与白天学习期间大脑的模式相似。亚利桑那大学做白鼠研究的布鲁斯·麦克诺顿博士认为，在睡眠过程中，海马体仍然处理着脑皮层传送来的信息。关键的"停工期"通常在睡眠最后的1/3时间（早晨3～6点）出现，它可以使好记忆与差记忆呈现出差别。

⊙ 进行间歇学习

大脑的设计并不是为了永不停息的学习。加工处理期是为了在脑中建立更好的连接和唤起。这就是间歇过程中可以进行最成功学习的原因——学习、休息、学习、休息。研究表明，应依照学习材料的复杂性与学习者的年龄，每学习10分钟～15分钟之后应确定一定的停工期，而这种有效的规则对于增强记忆是至关重要的。

⊙让信息变得重要

维持记忆的另一个重要因素是人对信息重要性的划定。有关这个原则的一个很好的例子，是那些总是忘记写作业的学生，但他们却记得自己最喜欢棒球队中每个队员的击球率。想想每天对我们进行狂轰滥炸的电视广告，你会记得多少？你又能记住多少时时响起的电话号码？可能你什么也不记得——也就是说，除非你正在专门查找一条广告，那么你会刻意记住它。回想上次你被介绍给你真正喜欢的人时，你是不是不止一次询问他的姓名？信息对你越重要，你越可能记住它。

⊙运用信息

练习一直是最好的老师与教练。重复能够增强记忆。当大脑吸收了新的信息时，细胞间就产生了一种关联。这种关联在每次使用时都会得到加强。初始学习之后复习 10 分钟可以巩固新的知识，48 小时后再复习一遍，7 天后再来一次。这种循环确保一种牢固的联系。看照片是另外一种增强记忆的方法。大学时的一些记忆是否已消失？通过留言簿里泛黄的纸张和幽默的留言，我们可以回忆起那些面孔、名字以及共同的冒险经历。

⊙牢固地储存信息

有人错误地认为大脑是身体里唯一的记忆存储和恢复中心。实际上，我们需要不同的记忆存储设备。便条、名单、电脑、档案、朋友、特意放置的物品和日历都可成为支持我们记忆的工具。它们中的每一个都有着同一目的：为帮助记忆恢复提供"牢固的副本"。依靠这些外部的记忆设备，我们很少会产生错误的回忆。把我们忙碌生活中的重要记忆放在每一个地方是加强记忆的策略性方法，即使是仅仅写下想要记住的事也能加强你的记忆。

⊙养成习惯

大多数人都有许多甚至成百上千种习惯让我们记住生活的责任

与义务。当然，大多数人都是无意识地养成这些习惯的。这些习惯可能是把我们的桌历翻到一周中恰当的一天，把便条粘在醒目的地方，标记出我们要记得带去学校或工作的东西，等等。这里的策略是有意识地在生活中养成习惯以减轻记忆的负担。比如，当你走进屋子时总是把钥匙放在同一地方，它更适宜放在靠近门的地方。一旦意识到自己的习惯，你就可以利用它们把要记住的信息联系起来。例如，你可能把自己要记得带去工作的书与钥匙放在一起，在你例行其事的时候，就不需要刻意去记忆。

4. 记忆术和记忆恢复

很多人发现一旦他们运用一种记忆术来记忆事物，恢复记忆就变得容易得多。记忆术总是使用联想方法。下面的基本记忆法只要稍加努力就可以增强你的记忆恢复。

⊙位置法

位置法是将你熟悉的地方中固定的地点或事物与想要完成的目标联系起来的一种记忆法。例如，你正在做一个包含 5 个关键要素的演讲。你所谈的每一部分都与提供给你自然顺序的不同"主题"联系在一起的。为了说明这个例子，我们想象一个典型的会议室。墙边那个大的设备是你走上讲台首先看到的，因此你选择这个提示来提醒自己希望做出一番颇受欢迎的讲话。墙上的装饰品可以选择来提醒你的下一个话题——发言主题的历史意义。你演讲的下一个要素——目前的时局——与房间后面的国旗相联系，门上的出口标志选择来引发你做结束语，等等。在开始运用这一方法时，我们建议你按一定的顺序使用主题，前门可能是你的第一个主题，入口通道是第二个，餐厅是第三个，等等。房间中其他的位置也可以用来指定主题。这个策略是古代伟大的演说家所选择的记忆方法。

☉关联词汇法

这种记忆策略与位置方法遵循着同一原则。实际上，它是从位置方法中分离出来的。唯一的区别是使用一个具体的物体，而不是选择一个熟悉的位置。位置方法非常适合演讲或概念记忆，关联词汇法则适用于记忆数字。这一方法的首要步骤是学习一套关联词汇。一些人选择儿歌因为这样他们更容易记住。其他人喜欢那些对他们有个人意义的关联词汇。如果你同时大声地说每个词，想象某一特定情节，进行身体活动，将很容易记住所列的名单。这种方式最少可分成三个记忆分支：视觉、听觉和知觉。

回顾左边的词汇直到你记住它。给自己增加其他你想要的关联词汇。一旦知道了 10 个关联词汇，你就可以结合它们记住任意数字。例如，数字 11 可能让人联想到一个双手伸向太阳的人，或者结合更多的想象，你对任何一个数字都能创造出一个关联词汇。大部分数字会使你想起逻辑联系。例如，12 代表 1 年中的 12 个月；而 13 呢，或许是代表 1 只黑猫或 1 个忌讳的数字；14 呢，代表情人节的心情；26 呢，代表字母表中的 26 个字母。如果你可以记起一些具体的物体好过数字的话（正如大多数人），关联词汇法将提高你的记忆能力。如果掌握了关联词汇法，你可以使用另一种记忆法，也就是与进一步巩固编码处理相联系。

☉联系法

联系法是连接的过程中，用行动或想象将一个单词与另一个单词进行联想。这种方法经常与关联词汇法相结合，按某一特定顺序记忆一长串信息元。使用先前的关联词汇，例如，电话号码 423-1314，就可以通过想象被暗示和联系（4）车轮被（2）腿短的（3）熊推着通过一片晴朗的（1）原野，（3）熊对着太阳举起手指（1）并使（4）车子落在地上。尽量将数字结合成顺序来简化联系法记忆的过程。再如，为了记住要买杂货的清单，通过想象盛水花瓶里的花将第一项（比如面粉）和第二项（滋补水）联系起来。联系的关键是运用你的想象力。联系不必是逻辑的或现实的，唯一重要的是它提供了你的记忆。

⊙关键词法

这种记忆方法多年来一直为人们所运用，尤其是在记忆外语中的词汇和抽象概念时。这是另一种将口头和视觉上音似的单词与抽象的词相联的一种形式。例如，西班牙语中的"你好"，HOLA 就可以被联系到"OH-LAH"，也就是 OOH-LA-LA，见到你很高兴；而西班牙语中的"再见"，ADIOS，可以被联系到单词"AUDIENCE"（观众）以及在视觉上联系到一群观众挥舞着手对你说再见。如果你发现一个词一时记不起来，就可以用关键词记忆法且再也不会忘掉。

⊙缩写词法

我们时常被离合诗所迷惑，缩写词是从一段文字中每个单词的首字母得出的。常见的缩写词是 NASA，它是美国国家航空与太空行政部门的缩写。组织的名称经常被简化成缩写词。另一种教给许多学校学生的缩写词能帮助我们记住五大湖的名字——HOMES〔Huron（休伦湖），Ontario（安大略湖），Michigan（密歇根湖），Erie（伊利湖），Superior（苏必利尔湖）〕。

⊙儿歌与童谣法

儿歌与童谣也许帮助过你学习基础知识，即使不是全部，大多数的学前电视教育节目都依靠儿歌与童谣教孩子从刷牙到扣安全带等事物。而在这些精彩的电视教育节目产生以前，人们就通过阅读和讲故事模仿儿歌来记忆。通过将那些不可思议的信息编成曲调、儿歌或童谣，可以帮助记住天生容易忘记的东西。例如，我们国家有谁不知道 1949 年发生的事情？

记忆术在学习中的应用

1. 记忆术在教育中的作用

⊙记忆策略能够帮助我获得学业的成功吗

在学校里，我们要完成多种学习目标，要解决多项议程，这常常都需要与自己的时间竞赛。首先，有一些是你希望学到的知识，因为你对它们感到好奇，并且认为学习这个科目很有意义；其次，有一些是你的老师希望传授给你的课程；再次，有一些是社会体制要求你掌握的知识，还有一些是父母期望你学习的课程。另外，一个学生必须知道他们将会被测试哪方面的知识或技能。一些测试是衡量你的知识水平，另外一些测试很可能是检测你的技能水平。有些课程可能会让你进行个案分析，其他的课程则需要你知道一些公式。有的测验可以使你提高即兴思考的能力和提升创造力，有的测试则可以指导你学习的方向。无论这些课程目标和检测方法多么不同——无论是一篇短文考试、多项选择、数学等式、口语表达，或是个案研究，它们在某一些方面都是相同的，即每一种考察方法都需要知识，而这些知识的学习都需要依靠你的记忆力。

为了确保你可以获得必备的知识，无论课程任务是什么，我们建议你能够利用所有的记忆工具。就像没有仅用一种工具（如锯）就可以盖房子一样，也不可能仅使用一种记忆方法（如联系法）就可以满足你所有的记忆要求。当你可以很熟练地运用本书所概述的所有记忆术策略，你的记忆力"工具箱"就可以帮助你完成繁重的学习任务。

⊙记忆术会削弱教育的地位吗

记忆术策略的学习绝对不会取代教育本身的地位，它仅仅是学习的一个辅助方法。就像计算机一样，记忆术的学习只是提供一种方法，可以使你更快掌握知识。一旦学生们能够有效地使用记忆术方法，那么就可以把他们的学习时间最大化。美国教育部 1989 年出版的《什么在起作用》总结说："记忆术可以帮助学生更快地记忆更多的信息，而且对这些信息的记忆可以保持很长的时间。"

新泽西州的参议员比尔·布拉德利曾是美国参议院中最智慧、最善于思考的参议员之一，他非常赞成美国教育部做出的这份总结报告。这位普林斯顿大学的毕业生也是一名记忆力方面的专家。这决不仅仅是巧合。布拉德利的记忆技巧可以使得他只花很少的时间来完成学校的任务，然后利用更多的剩余时间追求他个人的目标。

⊙**什么记忆策略可以提高我的学习成绩**

你能够想起记忆过程包含的三个基本要素是什么吗？下面做一个简单的回顾。这是对于任何初学者都要坚持的记忆阶段：

编码的阶段（已记录的阶段）

保持或增强的阶段（储存的阶段）

通过联系回想的阶段（回忆的阶段）

成功的学习策略不但能够使你掌握必修课，还可以使你在有效的时间内学习你感兴趣的知识。

2. 学习中的成功编码策略

⊙**保持冷静**

用积极的信念为自己打气。相信你可以掌握新事物。提醒自己可以做得到。如果你碰到了挫折，一定不要为此就放弃自己制定任何远大的目标，或是对于自己作为一个学生的能力做出轻率的判断。你可以做一些积极的体育运动，或是改变一下学习的进度。当然，也可以给你自己一些坚定的信心，比如，对自己说，"掌握事物很容易"；"我一定会成功"；"我有很强的记忆力"，等等。

⊙学习需要能量

你要非常清楚学校的时间和你学习的时间。每天要有 6～8 小时充足的睡眠时间。吃一份高蛋白含量的早餐。如果你有咖啡、可可，或是茶等饮品，那就要限制咖啡因的饮用量或是喝脱脂咖啡因的咖啡。过多的咖啡因会降低你的注意力，导致你犯一些错误。理想的学习状态是警觉而不是兴奋。

⊙有目标的人是成绩优秀的人

你要确定你想要学习什么和为什么学习它。回顾一下总体的任务，制定一份计划。写出你的周目标、月目标，或是学期目标。把这些目标分成几个可以衡量的步骤、检测点，或者是你能够经常回顾的目标。如果你制定的目标既可以包括你要学习的内容，也包括你希望学习的知识，这两者之间如果能够达成平衡，那么这就是理想的目标了。这些目标越有竞争力越好。

⊙练习

当你学习时，应用之前介绍过的记忆术策略。编码记忆可以是很简单的。思考一下你正在学习的新内容是如何与你已经知道的内容相互联系的。当然，编码记忆也可以稍复杂些，比如，要把你的学习内容与地点或是身体部位联系起来记忆（位置法）。

⊙"好好保养"记忆力

你的记忆力有赖于其所必须的营养。在学习时，要确保你的大脑能够通过健康的饮食（如新鲜的水果、蔬菜，全部的谷类食品等）来获得足够的营养物质。你也可以考虑其他的食品来补充营养，以提高你的认知力，增加活力。

⊙专心于中间部分的内容

我们知道对大部分材料的记忆顺序是开头、结尾，然后是中间部分。也就是说，在每一个学习阶段，学习内容的开头和结尾部分与中间部分相比，都会更容易被记忆。根据这个原则，你可以有意识地更加注意中间部分的信息，从而抵消中间障碍信息对记忆的不利影响。因为你会很自然地记住材料的开头和结尾，那么对中间部分稍加注意，就可以支撑这个记忆的薄弱环节了。

⊙集中注意力

对材料的积极思考能够加深对内容的理解。这样的话，我们就可以问自己一些问题，然后把这些设想形成一个清晰的重点：我们昨天学习的内容和它有什么关联？我们还将要学习什么？为什么学这个而不学那个？或是，这个内容意味着什么？这种问询过程对于编码记忆和增强记忆是至关重要的。在班级里提问问题，两个人互相检查。如果可能的话，在形成错误的印象之前，立刻作出反馈。

⊙让我们来欢庆

当你体验强烈的情绪感受时，那么这种经历就很可能会在你的记忆中留下深刻的印象。兴奋、幽默、欢庆、恐惧、骄傲、焦虑和其他的强烈情绪都会刺激大脑产生一种能有效提高记忆力的荷尔蒙，它可以促使大脑和身体行动，帮助大脑回忆信息。

⊙形象的描述

用形象的语言描述图片。在头脑中形成思路，可以保证你是正在理解材料，尤其是有些材料是以口头的方式表述的。思路给你提供了一个形象的图表式的组织模式，帮助你理解你要学习的内容，这种方式有助于你编码记忆、增强记忆和恢复信息。形成思路是很有意思的过程，如果参考下面简单的四个步骤，将使你更加熟练地掌握这个过程。

思路形成的步骤：

（1）准备一叠纸张和一些彩色笔。

（2）在纸上你可以把中心内容写出来，画出来，或是用其他的方法把它们描绘出来。

（3）添加从主要内容中流露出来的其他内容，并且用感知描述它们。用这些次分支内容描述相关的中心意思。

（4）把线条、胡乱的涂画、图表和标记都联系起来，用丰富的细节形成个性化的东西。所有这些都有助于在你头脑中确定概念和观点，有助于刺激你后来对内容的回忆。

3. 成功学习中的增强记忆策略

⊙甜蜜的梦

研究表明，在逻辑测试和解决问题的测试中，那些睡眠充足但是很少做梦的学生与睡眠充足且经常做梦的学生相比，他们的测试结果很糟糕。这表明不止是睡眠对于记忆过程很重要，做梦对于记忆过程的作用也是非常大的。实际上，如果你白天学习的内容越多，那么你晚上做梦的时间很可能就越长。做梦状态和快速眼动睡眠时间用去了整个睡眠多于 25% 的时间，这对于我们保持记忆力是至关重要的。刚刚入睡时，快速眼动睡眠用去了我们睡眠时间的一小部分。快到凌晨的时候，我们大部分的睡眠时间都是在做梦。这表明睡眠过程的最后几个小时对于学习的巩固可能是至关重要的。如果你的工作或是学校要求你不得不每天五点钟起床的话，那么这对你的记忆力将会产生消极的影响。

⊙抓住高潮期

大脑的结构决定它不能永不停息地学习，它需要休息。基于大脑机械理论，大脑左右半球之间每隔90分钟左右就要交替消耗能量。这种身体节奏或头脑节奏被称为昼夜周期（一个昼夜不停连续

剧烈的脑力活动
和正常的刺激

大脑的睡眠状态
或者沉想状态

深深的幻想和
睡意

睡眠

晚上　　　　　　　　　白天

学习

减弱／合并

⊙ 上图展示了我们一天的昼夜节奏是如何受影响的。在这里，通过不
同层次的脑波活动，来描述这个影响。

运转的周期）。在这种周期的作用下，当左脑处于功能运行高效期时，更多的与左脑有关的任务（如连续学习、理解语言、计算和判断）就会很容易进行。同样，当右脑处在功能运行高效期时，更多的与右脑相关的任务（如富有想象力的学习、空间记忆、辨认面容、想象影像和重新构建歌曲）也会很容易进行。学习过程需要有间歇来处理材料内容。在这段时期里，大脑分析学习内容，并且把它们传送给内部大脑组织，这个过程对于记忆的连通性和恢复记忆也是必要的。你难道不认为进行完1万米的长跑后需要休息吗？由于学习是一个生物过程，它会改变大脑的结构（建立新的突触间隙连接，增强原有结构的运转效力），因此，睡眠对于大脑保持最佳运行状态是非常重要的。如果你非常了解你自己大脑的昼夜运作节奏，你就能够在大脑功能运行能量最旺盛的时期最佳地完成你的学习任务，而当大脑处于低效率运行期时，就可以休息放松。

⊙重复

脑细胞与新内容之间的联系可以通过重复这个过程得到加强。

为了保证这种强大的联系，新内容应该在学完之后的 10 分钟内复习一遍，48 小时内再重复一遍，如果可能的话，7 天之后再把它重复一遍。如果你不复习那些学过的内容，也许你会在某个时间惊奇地发现，突然间你把它们全部都忘记了，尽管你清楚地记得你学习过那些内容。复习新内容的时候，你可以和其他同学或者其他小组的同学组成一个学习小组，重新读读笔记，或者重读每一页的开始段落和结尾段落。设计一个纵横字谜也是另外一种很有意思很有创造性的复习方法。其他还有一些方法，比如可以看一段有关这个学科的录像，或者利用新概念新内容编一曲说唱乐等。

⊙ 你的记忆复件在哪里

尽可能使用一些"有难度的版本"或者外部的记忆工具，复制你的记忆。尤其是在你压力很大的时期，当你一度要反复修改很多杂乱的事情的时候，养成随身携带一个日程表或者个人记事本的习惯，并且要非常狂热地喜欢在上面记录一些内容。设计一个软件（如果你使用计算机），一个整理好的资料系统，里面包括你每天的目标，有的时候一些事情也可以引发你的记忆。没有一个人的记忆力是最好最完美的。我们承受的压力越大，信息就越可能没有获得编码记忆而被流失掉。制作你个人的记忆系统复件，就像制作一个计算机的记忆系统复件，可以帮助你记忆或者搞清楚一些问题。

⊙ 一天一小时

人是习惯的奴隶，所以我们能做的最聪明的事情，就是好好利用这种趋向。每天都要留出练习、叙述和复习的时间。有一种趋势很明显，就是你每天短时间的学习（间隔学习）要比你长时间内填鸭式的学习效果好得多。如果完成一个 3 小时的任务，你要问自己："我要如何花费最少的功夫，如何最大限度地利用我的脑子来完成这项任务？"把这项任务分成 45 分钟的学习阶段，用 4 天多的时间完成它，这样你的大脑就可以有个"休息期"，而大脑正好需要用这个"休息期"来巩固你已经学过的知识。当然使用这个方法首先要求你要有很强的自制力，但是一旦建立起你自己的常规，那么就可以明显地看到这种学习方式的优势，而且这种学习过程也是在无意识地进行。

⊙**说什么**

你越能熟练地掌握新内容并且形象地描述它（积极的学习），你就越能很好地理解材料。在笔记上写出你的思路，与其他学生组成小组就某一论题进行辩论，或者做做实验，或者根据学习内容编出一个小故事，或者用肢体语言或手势来形象地描述这些内容。你还可以找到一个学习伙伴，每周都可以在一起复习功课。在图书馆里浏览一下有多少关于这门学科的参考书。有很多种方法可以使我们熟练地掌握新内容。就好像你走进了一个知识的"玩具店"，你都要自己亲自看看。或者就像我们观察一个初学走路的小孩子，他在早餐时间会端着一碗粥到处走，做任何可以想象出来的事情，但就是不喝它。

⊙**视觉训练**

慢慢移动你的目光，用一种结构的方法观察图片——从左到右，从上到下，然后再反向观察回来。记录下你所看到的东西。

闭上眼睛然后尽可能清楚地回忆你观察到的情景：图片的左上角是什么物体？左下角，中间，右上角，右下角呢？

睁开眼睛重新观察图片。你记忆对了多少？什么物体或是细节你漏掉了，或是记忆不准确？

最基本的观察方法能够应用到你所希望记忆的任何对象上面。为了训练你的观察技能，你可以随机任意选择影像或者情景，然后

第二篇
你也可以拥有超级记忆力

第一章
伴随一生的记忆

最初几年的记忆

胎儿就已经记住了通过母体接收到的一些信息，他们出生后将逐渐发现世界，同时提高学习和记忆的能力。

我们造就了自己的记忆，正如它造就了我们。幼儿时期，是发展大脑和构筑精神心理的时期，也是最具活性的阶段。在生命的最初阶段，记忆已经拥有了可供一生铸造的雏形。

1. 从出生前开始

胎儿有着丰富的印象和感觉，并且对母亲在怀孕过程中的感情非常敏感。胎儿记忆的形成和发展是一个复杂的过程，涉及基因、神经内分泌腺（作用于神经系统的激素）、生物化学和感情因素，并以间接的方式通过胎盘和母体承受着外部环境的强烈影响。

⊙胎儿感知什么

胎儿能感知许多的事：母亲有节奏的脉动、摄入的某些食物的味道、由于姿势不好而引起的肌肉收缩，以及在出生后所能够辨别的音乐和声音。当新生儿听到一段在母腹中的最后 6 个星期反复听过多次的儿歌时，会更用力地吮吸奶嘴。我们也观察到了类似的反应：当新生儿听到母亲的声音时，能将其与其他女人的声音分辨开来。在有多种味道可供选择时，新生儿会更偏爱母亲在怀孕时经常吃的食物的味道。因而，婴儿很早就能记得使自己感到舒服和兴奋的东西，以及使他们感觉良好或觉得不舒服的事情。

⊙早期沟通

在怀孕期间，对即将出生的胎儿来说非常重要的一点是把他放在关照的中心——腹部按摩有助于孕妇的舒适和父母与孩子之间的早期沟通。在触觉接触中，胎儿在母腹中将以积极的方式移向这些快乐的源头。这些印象随后会变成感觉，并形成记忆草图，

○ 正是通过母亲的声音和借助简单重复的动作，婴儿发现了世界。

胎儿会因此牢记这些生命与交流乐趣的"初体验"。这些初体验将会让孩子一生都保持乐观的心态，在遇到困难时屹立不倒。

出生是一个真正的"生态搬迁"。为此，母亲在生育孩子时应该有亲属和医生的支持，让孩子在绝对安全之中来到这个世界。这样，父母与孩子的情感联系将被延续，并且这种信赖关系先于其他任何情形被孩子记住了。

⊙模仿

婴儿的模仿能力为我们提供了另外一种研究记忆的方法。人们认为，如果婴儿模仿某个动作，这就表明婴儿能记住这个动作。在很多项研究中，研究人员在婴儿床前弯下腰，他们对着婴儿撅嘴、吐舌头、眨眼睛。有研究人员报告说，刚出生不到1个小时的婴儿就有对撅嘴、吐舌头、眨眼睛做出反应的。但我们并不十分清楚，在这些关于新生儿模仿的研究中，婴儿是否真的在模仿，是否有可

⊙ 这个婴儿 16 个月大了，他能够模仿母亲的表情，并且母亲不在身边时他还能继续模仿。这说明他能记住母亲的表情。

能仅仅是实验者离婴儿太近而引起婴儿反射（机械）式的吐舌头、撅嘴等行为。这一想法为以下事实所证实：新生儿并不能对更复杂的行为做出回应，当实验者离开时，新生儿也不再模仿，但9～12个月的婴儿在实验者离开时仍然会继续模仿。发展心理学家皮亚杰认为，后者的模仿清楚地说明，婴儿能够记忆，或者说婴儿能够以心智表征事物。

⊙控制行为

稍微大一些的婴儿可以控制自己的某些行为，因而我们就能对这些行为进行研究。在一项早期的研究中，皮亚杰对自己的儿子进行了实验：儿子当时还是婴儿，他的婴儿床上悬着一个风铃，皮亚杰拿出一根绳子，一头系在儿子的脚趾上，一头系在风铃上，儿子的脚一动，风铃就动起来。皮亚杰解释说，婴儿刚开始动脚不过是一般性的动作，与风铃无关，但婴儿很快就发现脚动和风铃动之间的关系，于是婴儿开始兴致勃勃地踢脚，让风铃也动起来。

现在假设你想检测一只猴子的记忆，你会怎样检测呢？猴子和幼婴都没有语言能力，他们适用同样的检测程序吗？研究表明该问题的答案是肯定的。检测猴子记忆最常用的方法被称为"延宕不匹配样本程序"。实验者先拿某个样本物体（如一个小盒子）给猴婴（或人类的婴儿）看，他们要是抓盒子就给予奖励。然后，实验者拿走盒子，过一会再把盒子跟另外一个新物体（如泰迪熊）一起拿给婴儿看，只有婴儿去抓新物体时才能得到奖励。实验者继续进行实验，拿很多不同的新物体跟原先的样本物体一起给婴儿看。婴儿去抓新的物体而不是原先的物体时才能得到奖励。

延宕不匹配样本任务并不容易完成。要完成该任务，婴儿至少得具备3种能力：发现并记住规则（总是新物体得到奖励）、为辨认出新物体而记住总是能看到的那个物体、能有意识地伸手去抓物体。通常，猴婴至少要4个月大才能掌握这3种能力。人类的婴儿比猿猴的发展速度更低些，不到1岁的婴儿几乎不能很好地完成这项任务。1岁大的人类婴儿经过多次尝试才能掌握这些能力。

⊙ A 非 B

A 非 B 实验给我们指出了婴儿产生短期记忆的年龄。假如你拿一个物体（比如一个指环）给成年人看，然后把指环藏在一个枕头（枕头 A）下面，成年人一直观看着你的动作，对他来说伸手找到指环一点也不困难，但四五个月大的婴儿就做不到这一点。

现在，假设你已经把指环藏到了枕头 A 下面，你又把它从枕头 A 下面拿出来，塞到它旁边的另一个枕头（枕头 B）下面，这次成年人和婴儿都看着你的动作。成年人立即伸手去枕头 B 下面找到指环，而婴儿即使看到同样的事件发生过程，却向枕头 A 而不是 B 伸出手去（这个实验因此而得名）。婴儿到 8 个月左右大的时候，才能比较稳定地向枕头 B 伸手——而且只能是在物体刚被藏起来时才行。如果从藏物体到找物体之间有段间隔，即使只有 8 秒或 10 秒钟时间，不到 1 岁大的婴儿中也很少有能把手伸向正确的方向去枕头 B 下面去寻找的。

A 非 B 问题为我们提供了一个用来检测记忆的有用实验。婴儿要想找到物体，就必须先记住物体被藏到了什么地方。该实验不仅能检测婴儿的短期记忆，而且还证明记忆的发展与大脑的改变有关。

2. 脑的早期发育

出生后最初几个月里，人的脑部发生了非常重要的变化。出生前几个月，人的脑部发育很快，新生儿的头部大约是身体其他部分的 1/4；而成年人的头部与身体其他部分的比例约是 1：10。婴儿的脑部在出生头 2 年持续增长，这就是我们曾经说过的脑细胞增殖现象。脑细胞增殖不仅是脑细胞数量的增多，覆盖脑细胞的保护膜也随之生长，在既存的神经细胞中还产生了大量的相互联系。实际上，2 岁时大脑的潜在联系比人生任何时候都要多。因为许许多多我们后来没有用过的联系最终消失了，这就是我们所知道的神经系统（即神经细胞）修剪。

婴儿的脑相对较大，主要包括 3 个部分（像成年人一样）：脑干（位于颅后窝，像是脊髓的延伸）、小脑（也在颅后窝，在脑干的背后）和大脑（皱巴巴的、灰色的物质，打开头盖骨就可以看到）。

脑干和其他下半部分脑部在胎儿期、婴儿期的发育都比大脑发育快得多。这是因为脑干与呼吸、心跳、消化等生理运动有密切的关系，所以说脑干对人在物理上的生存是至关重要的。而大脑则跟感觉器官的活动、运动和平衡有更密切的关系。大脑最重要的功能是思考和语言。

我们关于脑部和记忆之间关系的知识来自以下 3 种资源：技术进步使我们可以得到脑部活动的实时图片，而且还是电脑放大的；对动物尤其是灵长类动物的脑部进行实验，人们记录了外科手术对动物脑部产生的影响；心理学家对脑部受损的人进行研究，这些研究取得了很多成果，其中一点即证明脑的不同部分分别对应着不同种类的记忆。

不必惊讶于人的记忆似乎与脑的不同部分的发展和功能密切相

关。明尼苏达大学发展心理学教授查尔斯·纳尔逊认为，婴儿最初的记忆不能用语言表达，因而被称为内隐记忆，这种记忆主要是靠脑干和小脑等下半部分脑部进行的。正如我们前面看到的那样，脑的下半部分在人出生时的发育程度最高。婴儿快1岁时产生了外显记忆，它主要是靠大脑来进行的。

⊙ 年幼儿童的记忆

婴儿出生后没几天就能辨别出妈妈的声音和气味，这一点已经在相关研究中得到证明。婴儿听到妈妈的声音时会迅速地把头转向妈妈声音的方向，其速度要比听到其他人的声音时要快。同样，比起其他味道，婴儿一般都会对妈妈身上的味道做出更为积极的反应。尽管这是关于记忆的明证，可是这些记忆有可能是婴儿出生前而不是出生后产生的。我们知道，在出生前几个月，胎儿的耳朵就已经得到充分的发育并开始发挥作用了。

即使是刚出生还不到一天的婴儿也能学习并记住新事物。让我们回忆前文讲过的适应性研究，实验者不断对出生不到一天的婴儿重复一个词，直到婴儿不再对这个词做出反应为止。第二天，当这些婴儿又听到这个词的时候，他们适应该词的速度要比第一天快得多。这项研究证明人有内隐记忆——不能表述为语言但能影响行为的记忆。

婴儿最初的内隐记忆都很短暂，婴儿不能长时间地记住事物——除非有什么东西能予以提醒。例如，婴儿能很快掌握一股气流和一段音乐之间的关系。一股气流要是吹进了婴儿的眼睛，婴儿会眯起眼睛。如果有很多次气流吹进婴儿的眼睛，而且每一次气流之前都给出某一段音符，那婴儿很快就学会在刚听到音符声时眯起眼睛，即使不再有气流吹向眼睛，他们仍然会以这样的方式对音符声做出反应。这种简单的学习方式就是条件反射。

有趣的是，在这种最初的学习方式中婴儿已经有了记住事物的迹象。这个例子中的婴儿在实验后继续以眯眼对音符声做出反应，这段时间可能有 6 天，或者更长一些。但是，如果后来没有了提醒物，即音符后不再伴随气流出现，婴儿会很快停止这种反应。

新泽西罗格斯大学的卡罗林·罗伊柯利尔和她的同事们一起开展的研究，也证明了婴儿能够学习并记住事物。他们的研究以皮亚杰对 3 个月婴儿和风铃的实验为蓝本。婴儿学会用脚踢动风铃之后 1 星期，实验者把婴儿放回到婴儿床上，婴儿们很快又开始踢脚了——他们还清楚地记得自己学到的东西，但在跟眯眼反射研究中的表现一样，他们的记忆是很短暂的。如果婴儿学会踢动风铃之后 2 周才被放回到悬挂风铃的婴儿床上，他们的表现会跟从没做过风铃实验的婴儿一样——好像已经不记得自己曾经学到的东西了。

另外一系列实验使用了提醒物，其结果表明婴儿实际上记得踢脚跟风铃动之间的关系。婴儿接受最初训练的 2 周后，实验者把婴儿放回到婴儿床上，但并不把风铃跟婴儿的脚绑起来。与之相反，当婴儿躺在床上时，实验者会轻轻地抖动风铃。1 天后，实验者又把婴儿放回到婴儿床上，这次把婴儿的脚跟风铃系在一起。这次，婴儿踢动风铃的劲头跟 2 周前一样足，这说明婴儿确实记得他们曾学过的东西。

⊙ 儿童记忆的变化

儿童心理学家马里恩·帕尔马特认为，婴儿记忆的发展会经历 3 个阶段。第 1 个阶段是从出生到 3 个月大。正如我们在前面看到的那样，这个阶段的婴儿记忆多由重复出现的成对事物所引发，如妈妈的声音或气味，风铃和踢脚。这些记忆代表一种简单的学习。这一阶段最引人注意的特点是幼婴的记忆通常都很短暂，转瞬即逝，不能像成年人那样记得长久。这一阶段的记忆似乎是神经细胞对新刺激物的反应，一旦熟悉了刺激物就会停止反应。

　　婴儿记忆发展的第 2 个阶段大约从 3 个月大开始。其标志有二：能辨识出熟悉的事物，以及开始有意识的行为。随着婴儿年龄的增长，他们逐渐熟悉了周围的事物。这样，他们适应（熟悉事物、对事物不再感兴趣的过程）这些熟悉事物的时间就不断缩短。这说明婴儿在学习并记住事物，因此他们可以辨认出比较熟悉的事物。不久，婴儿开始主动去观看、寻找周围的物和人。这表明，不仅婴儿的记忆变得更为持久，婴儿的行为也更多地受到某种目的的指引。反复寻找他们认识的物或人表明这是一种有目的或者说有指向的行为，而不是起初那种偶然的、无目的的行为。

阶段	特征
第 1 阶段（从出生到 3 个月大）	记忆很短暂，经常只能维持几小时或几天。适应（婴儿不再看向刺激物，或婴儿停止定位反应）证明了该记忆的存在。反复的学习会缩短适应的时间。
第 2 阶段（大约从 3 个月大开始）	婴儿发生明显的长期记忆，因为他们可以辨认出物体和人。婴儿行为的目的性也越来越强。
第 3 阶段（从 8 个月大开始）	婴儿的记忆更为抽象，也更为符号化。婴儿可以对事物加以注意，并有意记住某物。

⊙ 马里恩·帕尔马特对儿童记忆发展的 3 个阶段进行了详细的说明。第 1 阶段的学习方式非常简单，第 3 阶段的婴儿学着怎样说话，并可以用言语表征自己的记忆。

　　帕尔马特所说的第 3 个阶段从婴儿 8 个月大开始。这一阶段的婴儿记忆变得更像成年人，更加抽象了，也更加符号化。当然，不久之后婴儿就会学着用言语表征事物。这时的婴儿能对事物加以注意，并努力记住事物。1 星期大的儿童仅有对声音、味道进行短暂记忆，这种记忆跟 1 岁的婴儿记忆有天壤之别。1 岁大的婴儿不仅能记住妈妈、爸爸，甚至家庭宠物等家庭成员，他还能把家庭成员及许多其他事物跟一整套记忆中的感觉、印象甚至词语联系起来。所有这些东西都在婴儿 1 岁时学得。不过，1 岁婴儿的记忆和正常成年人的记忆还是有很大的不同。

⊙儿童的世界

心理学先驱威廉·詹姆士 (1842 ～ 1910 年) 曾把婴儿的世界描绘为"纷繁错杂、嗡嗡作响的混沌状态"。他认为婴儿在出生后的几周、几月之内，感觉器官还没有充分发育，因此婴儿既看不清也听不清，任何东西都是模糊的、混乱的。詹姆士至少在某种程度上犯了错误：我们现在清楚地了解了婴儿出生及以后的感觉器官发育情况。但詹姆士在某种程度上又是正确的——婴儿的世界是混乱的，不确定的。比詹姆士稍后的皮亚杰就指出，婴儿似乎意识不到物体的永恒性和真实性。婴儿似乎不明白，即使他们不看着物体、不尝着物体，这些物体还会继续存在下去。皮亚杰说，婴儿的世界是"一个现在的世界"。因此一个 5 个月大的婴儿会伸手去抓他前面桌子上的物体，但这个物体要是被毯子盖住，婴儿就不会去抓它了。

"眼不见，心不想。"皮亚杰以此来解释婴儿物体概念的缺失。所谓物体概念指的是能意识到物体是真实的、持续存在的；即使婴儿感觉不到，这些物体依然存在。皮亚杰认为，幼婴无法想象他们不能直接感觉到的物体，就好像婴儿不记得那些不在身边的物体一样。

其他研究人员并不同意这一观点。他们认为，幼婴不去找被藏起来的物体并不能证明婴儿不懂物体的永恒性，有可能仅仅是因为婴儿没有形成抓住物体的目标。或者，即使他们有抓住物体的意图，但他们还不能很好地协调所有必要的动作——看着物体、向正确的方向伸出手、抓住物体。甚至只是婴儿当时太累或没有抓住物体的动机。

3. 记忆和行为

婴儿能向被藏起来的物体伸出手去，这最起码从某种程度上说明记忆引导着婴儿的行为——婴儿得记住物体在哪里才能伸手去找。

婴儿完成 A 非 B 任务的表现跟 2 个因素密切相关。一是婴儿的年龄。6 个月大的婴儿很少有做对的，而 8 个月大的婴儿很少有出错的，年龄增长伴随着明显的进步。另一个因素是时间间隔。藏物体和找物体之间的间隔时间越长，婴儿就越容易犯错，他们向枕头 A 而不是枕头 B 伸出手去。例如，9 个月大的婴儿在 3 秒或更短的时间间隔内很少会犯 A 非 B 的错误，但时间间隔为 7 秒或更久时，这些婴儿大多都会出错。

正如发展心理学家阿黛尔·戴梦德指出的那样，婴儿在 A 非 B 任务中的表现改进，表明婴儿用目的而非习惯引导自己行为的能力增强了。A 非 B 任务还表明短期记忆的进步，尤其是从把物体藏到 B 处到让婴儿去找物体之间存在时间间隔时更为明显。实验者不断延长间隔时间，直到婴儿犯错，其中年龄较大的婴儿能够坚持较长的时间间隔而不犯错，这有力地证明了这些婴儿的短期记忆要更为持久，同时还证明婴儿的大脑发育得更加成熟了。

我们看到，年幼的婴儿很快就学会辨认妈妈的声音和面容。尽管刚开始时婴儿对新事物的记忆是很短暂的，有时不超过几小时或几天，但他们很快就能学会辨认熟悉的地方和事物。到 2 岁时，他们将学会按类别区分事物：人们和动物们的身份，很多重要东西的位置，成百上千的词语以及各种各样对事物进行分类的复杂规则。

⊙偶然的记忆术

学龄前（2～6岁）儿童的学习速度非常惊人，语言学习尤其明显，他们的词汇量得到巨幅增长。这种猛增的势头开始于1岁半，并在整个学龄前阶段继续保持。儿童们通常只要学一两遍就能记住一个词，而且这个时期学会的词儿童将终生牢记和使用。

然而，学龄前儿童的记忆和更大儿童、成年人的记忆之间仍然存在很大的差异。其中最明显的差异是，学龄前儿童不能像年长儿童或成年人那样有意识地、系统性地利用有效的记忆策略——组织、复述和阐释。他们似乎对记忆这回事还所知不多。他们还没有产生要学习、要记忆的念头，也没有领会到某些方法能使记忆变得更容易。

密歇根大学的亨利·威尔曼认为，学龄前儿童使用的策略与其说是有意识的，不如说是偶然的，他称之为偶然的记忆术。记忆术是帮助记忆的原则或诀窍，偶然的记忆术并不是有意识的，所以还称不上真正的策略。学龄前儿童最常用的偶然记忆术之一大概是对事物倾注更多的注意。

尽管很多学龄前儿童似乎能够运用策略去记忆，但很少有人是出于自发的。例如，威尔曼曾让3岁的儿童把玩具埋进一个大沙盒里，即使实验者问过儿童在走之前还想做点别的什么事，也只有大约1/5的儿童想到做个记号，以便还能找回玩具。实验者对第二组同龄儿童给出尽量记住把玩具藏在哪里的指示，但做记号的儿童只有一半。很显然，即使这组儿童知道自己应该记住玩具地点，也有一半儿童没有使用明显的记忆策略，而且不论有没有记忆指示，这部分儿童的记忆情况都一样。

⊙记忆的可靠性

想象一下，一群3～5岁的儿童正在教室里玩耍，忽然有个陌生人闯进教室，他个子很高、红头发、长着胡子、穿着绿色的大外套，陌生人当着孩子们的面偷了老师的包。你把同样的事情分别跟一组11岁的儿童、一组处于青春期的少年和一组成年人演练一次。然后你让每一组证人都描述这个贼的样子，并且让所有的证人在排列好的一队人里指认盗贼。

你觉得学龄前儿童会有怎样的表现？有多少人能记住盗贼头发的颜色、穿在身上的绿色大外套、他的高个子和胡子？有多少人能自信地指认盗贼？

假如你改变一下程序，队列里没有盗贼，学龄前儿童会摇摇头说"不对，坏蛋不在这"，或者他们会把手指向一个无罪的可怜人。年龄大点的儿童和成年人会做得好些吗？

这些问题很重要，因为学龄前儿童经常目睹犯罪，有时还会不幸地成为被害人。法庭经常让他们回忆什么人在何时、何地做过什么。他们的回忆可靠吗？

有很多研究对这一问题进行了考察，他们大都使用了类似前面胡子男人的实验。结论似乎是明确的：学龄前儿童不如较大儿童和成年人记得准确，也不如他们记得详细。而且他们非常信任警察、法官、律师和政客。他们急于对问题进行令人满意的回答，他们希望跟从别人问题的指引，所以别人经常能让他们"回忆"起从没有发生过的事情。虽然有些孩子明显在抵制误导。在回答一个敏锐的、中立的警察记者提出的问题时，很多儿童都能清楚地回忆起一些重要的事情，但法庭并不总能确定儿童证词的可靠程度。

⊙ 较大儿童的记忆

我们在前文看到，年幼的学龄前儿童通常不会有意识地使用记忆策略来提高记忆能力。有趣的是，当研究人员让4岁儿童的母亲帮助他们的孩子学习并记住不同事物（如动画片里的人物或动物园里动物的位置）时，大多数母亲会自然而然使用记忆策略帮助自己的孩子。最常见的策略是简单的复述——对儿童重复然后反过来让儿童对自己重复。不过母亲们也使用别的策略：如果书里的狗叫"斑点"，母亲会指指狗眼睛上方的斑；要是有个洋娃娃叫"麻秆"，母亲会指指洋娃娃像细树枝一样的四肢。

儿童的部分记忆策略可能是从这种社会互动，尤其是跟父母或哥哥姐姐的互动中学到的。随着儿童年龄的增长，他们的记忆能力越来越好，这至少部分是因为他们能越来越多地运用记忆策略。例如，分别给4岁、7岁、11岁儿童组看图片，给他们的指令是："看这些图片"或"记住这些图片"。4岁儿童在两种指令下的做法是一样的。但7岁和11岁儿童在被告知要记住图片时会有意识地使用记忆策略以改进记忆。

这一事实表明，从婴儿到学龄前直到7岁，人的记忆是稳步增长的。以后这种增长就没有那么明显了。但在所有年龄点上，不同的儿童的记忆会有不同的表现，他们的分数反映了个人之间的差异。

记忆力的提高明显与儿童使用组织、复述等技巧的增多有关。记忆力水平还与儿童对事物的熟悉程度有密切的关系。给儿童看描绘不同场景的照片实验证明，儿童对照片中的场景越熟悉，他们就越能清楚地记得照片中的细节。例如，在某个实验中，实验者给八九岁的儿童看各式各样的足球照片，然后就这些照片对儿童提问。踢球儿童的回答明显比不踢足球儿童的回答要好。同样地，许多国际象棋大师在比赛进行到一半时，只需要观察棋盘片刻就能将所有的棋子易位，和大师比起来，新手们仅能勉强在规定时间内正确地将几个棋子易位。

⊙ **增进记忆**

我们看到，记忆是随着更多地使用策略和扩充知识而增进的。

因此，举例来说，儿童对历史越了解，就越容易掌握新的历史性事件。

研究表明，提高记忆能力还可以通过教授特殊记忆策略来实现，有时仅仅让孩子意识到这些策略既重要又有效即可。因此，某些学校会设置课程，教授组织材料的一般方法（如怎样阐释心理意象，或是简单一些的如怎样复述信息），以便能牢牢地记住这些知识。

在学校的记忆

如何教学？这个问题不断引发激烈的争论。这是一个从传统和现代技术到记忆功能研究的曙光出现的过程。

1."照片式"记忆：一个虚构的神话

科学研究表明感官记忆的确存在，但是它们是短期的，视觉记忆大约为1/4秒。另外，由于生理的特殊性，我们的眼睛只能保证在一个极小的角度内有较高的视觉敏锐度：2°～4°，即一个由4～5个字母组成的单词大小。也就是说，我们不可能对一页书"拍照片"。

感官记忆也适用于记忆其他的信息，语义的、图像的。比如说，图像记忆就是借助事物形象（物体、动物或植物）来存储信息的。这种记忆能够以持久的方式存储复杂的信息。美国科学家曾做了一个实验，对于2 500张照片，被测试者在一个星期后重新观看的时候，仍能够辨认出其中的90%。但这种记忆并不是所谓的"照片式"记忆。当我们"真的确信"似乎在脑海中看到了课本中的一页时，实际上这并不是一个准确的表述，因为我们看到的只是视觉组合图像，而且我们无法指出一个确定的单词在"这一页"中的准确位置。

听觉记忆是最有效的吗

当比较在短时间内记忆一列字母或单词的能力时，我们会发现听一段文字要比自己阅读同样的文字记得更好。但是，一旦这个测试被延迟 10 多秒钟，听觉记忆相对视觉记忆的优势（大约 20%）就消失了，听和读的效果就相同了。无论是视觉的，还是听觉的，事实上，信息很快就融合在一个更高级的符号编码中：短期记忆。

2. 从短期记忆到专业记忆

⊙短期记忆

短期记忆，又称做运作记忆，这种记忆好比电脑的记忆，能够暂时记住来自一个永久记忆介质（如硬盘）的信息，或者以键盘、扫描仪等形式输入的信息，并将它们汇聚在一起或者分别进行不同的处理。一些研究人员甚至估计，短期记忆是一切逻辑推理的基础。但这种记忆的容量非常有限，大约一次 7 个元素，也就是说我们在脑海中一次只能够保存有限数量的信息。由于这种记忆很快就超负荷，对信息只能记住几秒钟，因此对那些重要信息有必要重复记忆。

⊙计划的好处

非常幸运的是，短期记忆与不同的专业记忆是联系在一起的：词汇记忆使单词以声音和图画的形式被储存起来，语义记忆保存着经过分类的概念以及图像。这些专业记忆在运作时，短期记忆将参与信息的分组。如在学习乌鸦、金丝雀、鹰、喜鹊这些词时，它们将与已经出现在语义记忆中的"鸟"类联系起来，这样通过类属法我们将更容易记住了这几个词。这种有效的学习机制正是基于对信息的有效组织。这也是通过概要、阅读笔记或其他形式将所要学习的内容结构化，从而能够更高效地掌握和记忆知识的原因。

3. 课堂上的记忆

技术的进步并不总是能够带来更好的教学工具，有时候还是需要使用一些老方法，而非不加分辨地将其取代。更好的解决办法是把新的和旧的方法联系在一起，各取所长。这是一个由心理学家阿兰·里约希为首的法国研究小组对100多名学生研究后得出的结论，实验的目的是比较不同学习方法的效率。

⊙不同学习方法的实验

语言和图像（不可与听觉与视觉混淆起来）构成了不同的记忆方式。事实上，一方面我们能够分辨出3种信息类型：语言、语言和图像、只有图像；另一方面，我们也具有3种信息记忆方式：视觉的、听觉的和视听的（结合了前两种方式）。这就有了7种可能的组合：视觉上，简单的阅读材料、课本或无声电视纪录片；听觉上，口授课或有声电视纪录片；视听上，借助图像进行的口授课或带字幕的电视纪录片。在这个实验中，被测试者观看的电视纪录片是关于不同主题的，比如阿基米德或人类的听觉感知。

当用图像表现一个熟悉的主题时很有教学价值，阅读材料或参看课本也有助于获得好的效果，而"无声"电视纪片则没有太高的价值。如何解释这种区别？

正如其他研究表明的，图像只有以语言的形式记录在大脑中才是有效的记忆方式，即心理学家通常所说的"双重编码"（这一术语最早由加拿大心理学家艾伦·拜维奥提出）。事实上，"双重编码"的前提条件是阅读或者利用教科书，通过调节学习节奏来掌握某些术语或专有名词。而与阅读不同，电视观众既不能调节图像的速度，也不能进行退后操作。

因此，为了提高教学效率，应该在图像中伴随字幕，更好的是让学生自己控制学习的节奏，比如用电脑代替电视。

⊙回忆的线索

任何学习都是为了能够在今后重组所获得的信息。然而，长期记忆中的大部分信息都不能存留在短期记忆里。因此，我们可以利用一些线索。例如，让一组人学习20个词，在回忆的时候提供类属（比如"鸟""鱼""作家"）将有助于最大数量的重组出所学过的词。这样的线索在不同形态下都有效，在教学方面，线索常以关键词或提示图的形式出现。

存在这样一个特殊情况，线索即词汇或图像本身，也就是所谓的重新辨认。重新辨认的成功率是惊人的，被测试者能够准确辨认出所学信息的70%～90%。在教育学上的应用表现为多项选择调查表，被测试者被要求从几个备选答案中选出正确的答案。

⊙ 图表胜于冗长的讲述

图表是学习和重组复杂信息的一种极好的方法。它的优点在于，能在表述的同时进行组织。图表的形式非常广泛，有曲线图、流程图等，其中最为常见的是地图。

阿兰·里约希研究组做过一个实验，让一群学生分3场次学习一段10分钟的电视资料片。该资料片节选自尼古拉·于洛的纪录片《尼罗河源头的秘密》，内容是关于尼罗河的水域系统。在影片最后，只向被测试者中的一半人展示了一个描绘尼罗河水域系统的图示。之后，所有的人都参加了一个测试，用来证实学生掌握的知识分3个级别，从资料片的主题（级别1）到水域变化的细节（级别3）。结果，那些看了尼罗河水域系

◉ 实验证明，让学生自己控制学习的节奏有助于提高教学效率。

统图示的学生取得了最好的成绩，他们在一开始就成功地抓住了大主题，而那些没有看图示的学生都是逐步抓住主题的。

专业领域的记忆

有一些职业似乎需要比别的职业更出色的记忆，但是专业领域的记忆奥秘经常与我们想象的不同。

1. 演员和导演

⊙玛丽（58岁）的自述

当演员的时候，我从来不提前学习一段文字。我把剧本拿在手里，试图在脑海中勾勒出人物的举止和个性。就这样，剧本变成了一个逻辑空间，处于动作、感觉、情绪的连续性里，在熟悉这个逻辑空间后，我甚至不需要再学习剧本了：它就在那儿，正如一个显而易见的事实，这是一种情感记忆。

当然，当我有唱独角戏的任务时，就必须像在学校一样"用心"强记，但这也是在人物的塑造工作完成之后进行的。而在最后一次表演结束后的第二天，我就忘记了所有的文字。这是脱离人物角色的一种方法！

现在，作为导演，我的记忆原则则完全不一样了。我无法记住文本，只能通过想象在空间中建立视觉坐标。我为演员创造动作，然后自己就忘了，但我总会自发地观察事物

⊙ 与广为流传的错误观点相反，演员不一定是用心强记的冠军。为了记忆角色，他们更侧重于分析，并且尝试融入所要扮演的人物之中。

是否准确地运行着。我记住所有拍摄场景中需要加入灯光、声音的不同时刻，这完全是视觉记忆，同样也是情感的。因为，如果在某个时刻，灯光不像大家期待的那样亮起来就不能产生"共鸣"。

自从我成为导演后，我的日常记忆就不如做演员时那么好了。我认为记忆不会自我维护，我们实践得越多才会记得越好。我唯一从来都没有成功记住的东西就是数字。

⊙专家们的分析

和玛丽一样，大部分的演员都承认自己不是靠死记硬背来记住角色的。他们更多的是融入所要诠释的人物中，理解并且重组人物的动机和性格。一旦他们把握住人物的感觉，就将更容易记住台词。美国心理学家海尔格·诺艾斯在仔细研究演员的记忆后提出，演员不是记忆的专家，而是分析的专家。

通常，掌握一段较长的独白要求演员花一定的时间用心背诵。但当涉及经典戏剧的三段式诗文时，语句的韵律和对称配上适当的旋律后，记忆会变得更容易。然而，演员的记忆并不是始终可靠的，他们也有可怕的"记忆空洞"。

玛丽的例子中最有趣的是关于记忆方式过渡的那段描述，即从口语性质的记忆到图像和视觉记忆的过渡。在她当演员的那段时间里口语性质的记忆占主导地位，自从她开始从事导演工作，图像记忆则与演员在布景中的走位有关，于是口语性质的记忆让位给图像记忆。视觉记忆引出了地点和图像记忆法，这是一种需要想象一个虚拟空间的记忆方法。

2.儿童神经科医生

⊙丹尼尔（45岁）的自述

我每个星期大约要接待 25 个病人，一些病人一个星期定期来几次，另一些病人一个月来一次。我在询问病人的时候会详细地做笔记，特别是第一次问诊时。我经常在会诊前重新阅读笔记，这样每个病人的面孔和经历会在我的脑海中变得很清晰。我极少会忘记与病人相关的轶事，如果发生了这类事，就意味着我应该在克服遗忘上下功夫了。

相反，如果要去购物，我通常是先写一张详细的购物清单。否则，我总是会忘记买某样东西。我真的有一种把那些要强制性记住的东西遗忘的倾向。

⊙学会组织信息

一个外科医生平均每天要接待 30 多个病人，丹尼尔的情况却很不同，她幸运得多，每个星期只有 25 个病人，因为精神病会诊的时间很长。在会诊期间，她能记住诸多细节可能归因于病人每个星期都来多次。另外，丹尼尔经常做笔记并复习，特别是对新病人。最初高强度地学习，之后有规律地复习，加上良好地组织信息，所有这些因素都有助于高效率记忆。最后，在遗忘的情况下，她会随时准备尽更大的努力。

⊙直指问题的关键

对医生记忆的研究有时候会得出表面上矛盾的结论。有一个实验，其目的是研究资历更高的医生是否能更好地记住与诊断相关的信息。然而实验结果却显示，具有中等水平的医生远比他们的新同行记住更多的信息，也比那些经验更丰富的医生记得更多。事实上，经验更丰富的医生似乎直指问题的关键，而较少地注意对诊断不太有用的细节。

3. 咖啡店业主

⊙雷纳（57岁）的自述

大部分时间，我在脑海里记住所有的东西，并逐一满足顾客的要求。当然，偶尔我也会弄错，端来一杯牛奶咖啡而不是浓咖啡，但我有机会重来一次。我总是和顾客交谈，我们互相开玩笑，大家都很放松……我每天都尽量让自己开心。

当顾客很多的时候，我很幸运能够自觉地依赖于一个习惯。这时，我什么也看不见，把精神完全集中在声音和所发生的一切之上。当我频繁地来到柜台前时，我也有过忘了应该拿什么的经历。但是，冥冥中我听到一个声音对我说道："雷纳，你忘了那个……"

我有很多常客，我完全知道他们点的是什么，但是我总是重新询问他们。他们有权利改变！其中，一些人来只是为了聊天，来找些气氛，还有一些人来这儿工作。这间咖啡厅里招来了许多从事不同职业的人。

⊙外界干扰和记忆饱和

为了记住每位顾客的要求，雷纳利用了专家们所称的"运作记忆"，就是说，在一段极短的时间内把信息保存在大脑中。然而，这种短期记忆对各种形式的干扰都非常敏感。如果雷纳在听完一个

⊙ 为了记住顾客要求的饮品，服务员通常采用类属法。如果是常客，服务员则会借助对顾客的认识和了解。

顾客的要求后，和另一个顾客说话，他就可能会弄错前一位顾客想要的东西。虽然，有时候雷纳可以求助于常客的偏爱和习惯，但当他面对新需求的时候，就有可能出现记忆饱和。因此，为了缓和记忆冲突，有时候他会让顾客用笔写下自己的需求，并且偶尔依赖一个盲人顾客来提醒他……

咖啡店或者餐厅的服务员，几乎都表现出出色的记忆技能。另外，前者很少写下顾客要求的饮品。当饮品的数量不超过 5 ~ 6 个时，将在短时间内被保存在运作记忆中。尽管如此，也要当心外界的干扰，在用餐高峰期来自不同餐桌的干扰会妨碍记忆。

⊙为牢记而分类

为了记住所有顾客的需求，服务员常借助一些记忆技巧。例如，根据饮品的特征将其分类，顾客分别要的是 3 种无酒精的、2 种含少量酒精的和 1 种高酒精含量的饮料。根据使用杯子的类型分类（形状、大小）也能够帮助服务员：将所有的杯子摆放在柜架上，一个接一个地倒入相应的饮品。

虽然餐厅服务员几乎都写下顾客的点菜需求，但是他们还要记住同一桌的每位顾客点过的菜，以此作为别的顾客的参照。他们一般会按顺时针的顺序询问并记下每一位顾客的要求，这种方法一般都能成功，除非上餐时顾客换了位置。

4. 集邮家

⊙瑞哈（61 岁）的自述

我从 10 岁左右开始集邮。我母亲曾是邮电总局的接待员，她从我姐姐出生时就开始集邮。她总是定期购买 4 张相同的邮票，一张留给自己，另外 3 张给我们。她把邮票放在集邮册里，每个星期天下午，给我们讲述邮票上的著名人物、徽章和建筑物的故事。我对此非常感兴趣。

我最早收到的几张邮票中，有一张印着法国总统贝当的肖像，给我留下了最为深刻的印象。那是一张棕色的大邮票，大约宽4厘米，长5厘米，虽然它已失去邮资功能，但因为上面印有贝当在战后的肖像而弥足珍贵。

今天，我拥有数千张法国邮票和众多的信封，所有这些都完整地保存在我的记忆中。如果不是因为特殊原因，我从来都不会买两张相同的邮票。

我觉得集邮是一种极好的文化活动，能丰富知识。比如我现在对昆虫感兴趣，我就找那些所有表现昆虫的邮票。我总是寻找新的种类来丰富自己的收藏。

⊙受局限的记忆力

瑞哈在一个极为有限的领域发展了"百科全书式"的记忆，我们在所有的收藏家身上都能找到这种记忆能力。钱币学家或者葡萄酒工艺学家，在他们的专业领域无意识记忆的效率通常等同于有意识记忆。另外，他们能更快地学习和重组信息。

收藏家能快速做到对藏品的最佳分类，他们会频繁地浏览自己的藏品，并且对新的藏品表现出极高的发现动机。因此，在其专业领域他们能极好地组织记忆，达到常人所不能达到的高度。

5. 出租车司机

⊙吕西安（56岁）的自述

14年前我想成为一名出租车司机时，需要在驾驶学校全日制学习3个月与这个职业相关的安全规则，还要记住50多条理论目的地，特别是巴黎警察局规定的典型路线。

为了帮助记忆，我每个周末都开车出去考察这些路线。考试的那天，我们抽签选择其中的两条路线，被要求背出来并写在纸上。

还有一个测试是需要在一张巴黎市区的空白地图上填上各条路的名称。我自己制作了一张同样的地图，反复练习了十几次。我设想了所有可能出现的类型，并且都用心把它们背了下来。因为我每天都不停地练习，对巴黎的定位从而成为了一种习惯。

对于乘客，有的时候到了目的地我甚至都不知道他们是谁，他们打电话，或者我很累不想说话……但如果是一个重要人物的话，我就能记起来！开车的时候，我经常听收音机，特别是体育频道或者有趣的脱口秀。

⊙自我练习的兴趣

吕西安表现出其职业所需的双重记忆能力，借助口头记忆他掌握了交通规则，依靠视觉 – 空间记忆他记住了各条路线。另外，他非常明白常规练习的好处。随着时间的推移，他对路线越来越熟悉，在开车的时候他还能听乘客说话或者听收音机……

⊙一个容量更大的大脑

为了取得全伦敦的出租车营业执照，出租车司机必须要记住25000多条路线和一些餐厅、大使馆、医院等的所在位置。这至少需要两年的时间准备，顺利通过笔试部分才有资格参加口试，幸运者将在正确回答 10 个问题后通过测试。因此，伦敦的出租车司机都是导航专家。由神经学家埃莉诺·玛格赫领导的研究小组研究了他们的大脑：他们的右海马脑回比非职业司机要发达得多。

⊙ 记忆一个大城市的主要路线和景点需要很多努力，同时实地训练也是不可缺少的。

但是，是否只能是最具有城市导航天分的人才能成为出租车司机呢？埃莉诺·玛格赫指出，出租车司机是在长年累月的驾驶之后才使得右海马脑回如此发达的。

经BBC调查，伦敦司机俱乐部的一个成员对这个结论感到非常吃惊："我从来都没察觉到我大脑的一部分体积在增加，那其他部分又会是怎样的呢？"

6. 没有人的记忆是完美的

某一领域的专业知识会随着实践的增加而逐渐增多，直到达到百科全书的程度。随着这个过程的推进，学习和回忆都变得越来越容易和迅速。

尽管如此，专业领域的记忆也会衰退。就像前面所说的，当记忆负担过重时，咖啡店的业主雷纳有时候也会混淆或者忘记顾客的要求。而当涉及专业之外的领域时，他们也不再具有任何优势：玛丽很难记住数字，丹尼尔需要为购物列一个清单。同样，虽然吕西安和瑞哈发展了百科全书式的记忆，但是只能在特定的职业领域起作用，并且要以经常实践和持续复习为代价。

退休后的记忆

可能必须要到一定的年龄，我们才能明确自己是否拥有好的记忆力。在偏见和焦虑之外，对于年长者的记忆我们还知道些什么，能提供些什么建议？

随着年龄的增长，我们的长期记忆会得到提高（我们可以不厌其烦地述说往事），但是我们的短期记忆就大不如前。记忆就像是肌肉，你不使用它就会失去它。

1. 记忆的年龄

童年是记忆的输入阶段。大脑几乎就像"海绵"一样，不断地吸收：童年生活的经历、家庭生活习惯、社会规则、日常用品的使用方法……随着时间的推移，学习变得越来越复杂，并且需要组织。儿童、青少年和成年人都使用适合自己的方法整理知识，以便更轻松地应用。

而老年人带着曾经强制性的节奏和习惯离开工作的世界，从此，必须去适应生活重心转移到家里的日子，这是种他们以前只有在假期中才能体验到的生活。现在，他们有更多的空闲时间去从事在从业时进行的一种或几种副业，该是重新捡起曾放弃的娱乐活动或者进行锻炼的时候了。甚至，一些人会开始从事在几年前梦想的一种新的工作或职业。然而，事情并不像我们想象的那样。事实上，一个适应期是必要的，而这个"介于两种生活之间"的阶段，有时候并不容易度过。

2. 什么是随着年龄真正改变的东西

我们慢慢地变老，我们的记忆也跟其他精神的和身体的因素一样，性能在逐渐减弱。不过，只有在患病的情况下，这种趋势才会恶化。其实记忆的退化早在退休之前就开始了，但是这也视个人情况不同而不同，不同的精神活动不是以同样的方式和速度演进的。

⊙更频繁地忘却，集中注意力有困难

随着年龄的增长，我们发现很难同时进行几种活动，我们经常"丢失"钥匙或者眼镜。事实是，当思维忙于另一件事时，放置钥匙或眼镜的动作不再被有意识地记住，因此，在之后需要它们时便

无从回想。

另外，对某项活动我们需要付出更多的努力才能保持长时间精神集中，同时我们也不如年轻时学得快。

我们常抱怨想不起某个人的名字。事实上，这是一种任何记忆策略都不那么容易起作用的"低落状态"。众多因素会影响记忆力的演进，一些与个人经历或者社会环境有关，一些则受个人意愿和动机的影响。

⊙ 能力的衰退

一旦校园时光远去，我们经常忘记在校时学习的知识。我们错误地以为，一篇深奥的文章现在也只需读一两遍就能记住。事实上，我们已经丧失了学习的习惯（组织信息的方式，必不可少的重复，便于记忆的各种技巧和策略等），从而导致新旧知识之间建立联系的可能性变小了，构建心理图像的能力也减弱了。

⊙ 记忆的衰退不是在退休那一天突然出现的，它是逐渐衰退的，并且每个人的方式和速度都不同，但我们可以减缓记忆的衰退。

一条没被记录好的信息在重组时需要投入更多的努力。相反，一旦信息被良好地巩固在长期记忆中，将不会受任何与年龄相关的因素影响。遗忘曲线对每个人来说都是相同的，无论年龄大小。

事实上，对许多事物的记忆都被很好地保存着，尤其是专业领域的知识，我们所抱怨的遗忘几乎总是那些对我们来说意义不大的事物。

⊙不同信息之间的相互干扰

另外，拥有的经验和知识会随着岁月的流逝而增多，一些信息将汇集在一起并分享一些共同的特征：同样发音的名词，我们曾住过的所有地方，我们与朋友一起的晚餐，等等。这种情况下，最近的记忆能激发以前的记忆，或者相反，最近的记忆刻下更深的感情烙印，妨碍之前的记忆重现。

与上面所提到的不同，似乎存在这样一种记忆，随着年龄的增长其功能趋向增强！这就是心理学家所说的"前瞻性记忆"，即对我们在未来应该做的事的记忆：明天早上打电话给朋友，今天下午去药店，在19点左右去扔垃圾……许多经验表明，年龄大的人往往比他们年轻的人更能记住这些行为。越是年轻的人，就越倾向于信任自己的这种记忆能力，然而，结果并不总是与他们所期待的一样。相反，老年人会借助外部辅助来帮助记忆，比如记事本、符号等。

3. 如何保持良好的记忆力

年龄的增长通常意味着大脑具有的容量越来越少，并且我们更容易疲倦，记忆力也不例外。那么如何保证良好的记忆力呢？

⊙注意生活保健

到了一定的年龄，身体的各种功能通常会变得不太好，而健康问题可能导致记忆障碍。某些药物，特别是安眠药，对记忆会产生直接的负面影响。适当的预防措施和良好的生活习惯，都对守住记忆有利。

不存在能够刺激大脑或者保持高效记忆的"神奇饮食规则"，但均衡的饮食有助于预防心血管疾病、癌症和某些病变，应多吃蔬菜、水果和鱼（特别是那些含有丰富的不饱和脂肪酸的生鱼），饮用适量的葡萄酒（最多一或两杯，并且只在用餐时饮用）。

⊙ **保持好奇心**

额外的不安有时来自于某种感觉器官的衰老。当视觉和听觉衰退时，对外界的感知将会变得更困难，而且不再完整，这势必会阻碍记忆。此外，功能的减退还经常伴随着社交活动的减少甚至消失，这样便更残酷地造成记忆功能不能再顺利运转。

事实上，社会或家庭环境的激励、娱乐活动的参与对记忆具有有益的影响。一项记忆测试"在大众中"进行，将会取得更好的成绩，并且如果活动种类越是丰富，产生的效果越好。

我们在年轻时发展的认知资源是年老后主要可以依赖的，充满活力、保持好奇心和警觉，对维护智力与记忆都非常重要。

⊙ **我们感兴趣的是什么**

只有在我们不去运用它时记忆力才会衰弱吗？人们常说，当我们变老时，回忆年轻时候的事情要比回忆前个晚上做过什么更加容易。但是这也因人而异。增加训练记忆的机会，并不意味着要强制自己去做不符合我们品味、愿望和日常生活的大脑锻炼。然而，日常生活中有着许多需要我们努力记忆的东西，例如银行卡的密码、门禁的密码，又或者是完成一项任务的程序等。那么，为什么不创造些技巧或者策略来训练记忆呢？

当然，除了有用的或者必要的活动之外，还存在其他一些可供我们选择的活动。没有什么比记住那些看似无任何用处的东西更难的

⊙ 动机在保持记忆力中扮演着关键角色。为了持久并有规律地实践某种活动，无论是游戏性的还是实用性的，在选择上都应该符合自己的兴趣中心。

了，比如所有城市的市政府所在地。对一门外语进行学习，却没有在使用该语言的国家居住一些日子的打算，那么学习从某种意义上来说则毫无用处。如果不制定一个计划，并有规律地实践，那么要掌握计算机操作（记录个人经历、编制家族数据库等）几乎是不可能的。同样，在听完一系列讲座或者阅读完一本书后，不去复习或深入研究是不能记住很多东西的。事实上，如果我们对某一个课题感兴趣，就应该深入进去。

换句话说，如果想通过某种活动改善记忆，就应该以不断重复的方式去实践，并且长期坚持。最好是选择一个自己感兴趣的活动，这能给自己带来直接的满足感，并且要为此做好付出必要努力的准备。

集体记忆

从家族史到一个国家的历史，沿袭着无数的传统习俗，这是个人记忆的简单堆积还是集体记忆的真正分享？

集体记忆的概念最早由法国社会学家莫里斯·阿勒波瓦茨（1877 ~ 1945 年）提出，他假设群体或者社会的每个成员一起构筑并分享一段共同经历。但这种假设的依据是薄弱的，因为只有个人记忆才是一种被证实的能力。

1. 信息的传递

除了在疾病的情况下，每个人都能够回想起自己人生的重大事件、前一天所做的事和不久的将来要做的事。那么，一个家庭的成员、一个群体的成员，甚至整个国家的成员是否能够分享这种记忆呢？

回答这个问题先要考虑信息传递的社会范围。研究发现，信息的传递具有多样性，正式的或者非正式的、口头的或者书面的、有意识的或者无意识的、做笔录或不做笔录的、偶尔的或者系统的，还可以通过复制、模仿等形式进行。人们在相互传递着信仰、风俗、价值观、知识、行事的方式、存在、感觉……

2. 重新激活记忆

共同记忆的分享至少要在两个人之间进行。我们不断对所记住的信息进行拣选、增加和删除，这被表现为神经元之间关系的加强或减弱。

⊙如何构建共同记忆

神经生物学家让·皮埃尔·尚若在他的著作中提出，由于神经元的可塑性，每个人的大脑都保存着无数自己所处环境的痕迹，其中一部分的痕迹——多变却重要的那部分处于同一生理和社会领域的其他个体也可享用。例如，在晚餐结束时，家庭成员一起翻看相册，这一行为就激活了一定数量的共同记忆：某个亲属婚礼时的一场暴雨，每个圣诞平安夜微醉的大叔，在海外度过的夏季假日等。在社会结构（在这里指家庭）中，记忆的分享是随机的，正如对同一事件，不同的人会出现不同的表述或分歧。

⊙什么是可被记忆的

某些信息比其他的信息更容易被记忆和分享，它们在某种程度上"稳固"在某个人或某一个群体中，这大概是由于这些信息与大脑内在精神结构产生了共鸣。例如，一部节奏优美的音乐作品就比一段隐秘的音乐更容易被记住。相对前一晚上学习的关于股票市场的课程，我们能更轻松地回想起《拇指姑娘》的故事。对一些几何图形也一样，我们更容易记住一个圆形，而非一个不规则的多边形。许多可以想象出来的物体都因为有这样的特殊性，而成为"注意力的吸引者"，从而被大多数人记住。

3. 纪念：一种被要求的记忆分享

每年的 11 月 11 日，在法国的所有阵亡纪念碑前都要举行全国性的纪念仪式。然而，社会学上的争议表明，仪式参加者远远没有做到一起分享纪念事件的相同记忆。这种情况下，选择性记忆的事实错误地被认为是实际存在的事实。但另一方面，个体记忆中保留了对根与共同命运的信仰。古斯特·孔德（1798 ~ 1857 年）曾在他的实证主义中提到此现象。他认为，这种纪念仪式会在"具有共同命运"的一代人中持续发展。这种记忆分享的要求，就像所有语言一样，拥有强有力的社会效应，能帮助群体成员像团体般进行想象。同时，这种记忆分享也塑造了一个单一的社会世界。但集体记忆与真实历史之间存在着区别，前者为社会成员共同所有，而后者则或多或少为个别群体所有。

🕐 1902 年，维克多·雨果诞生 100 年之际，法国人民在先贤祠组织了一个豪华的庆典来纪念这位伟大的诗歌之父、共和制的捍卫者。

根据定义，集体记忆的概念有时候很模糊却非常实用。模糊，是因为它不可能保证全部的个体都能分享被赋予同样意义的记忆。例如，谁能准确地说出法国大革命在600万法国人中存留着的记忆。另外，它又是非常实用的，因为我们不知道如何以另一种方式定义这个表面上由多人分享的过去的意识形态。然而，绝不能忽视群体或社会成员忘记他们相同的过去的行为。与其说集体记忆是群体所有成员记忆的总和，不如说是遗忘的总和，因为真正的记忆总和应是在被个体加工之前，而遗忘的总和则共有那些被遗忘的事。

第三章
评估你的记忆能力

我们是如何了解记忆的

毫无争议，大脑是医学家与运用医学图像的科学家酷爱的研究对象。甚至有这么一个专业——神经图像学。无论是功能的还是形态的，为了诊治或者为了基础研究，新的技术给我们提供了越来越精确的图像，进一步推动了对记忆的研究。

1. 形态成像技术

形态成像技术能确保我们更好地认识大脑的构造，尤其是能给活人进行检查，这显著改进了神经学疾病的识别诊断，比如确诊肿瘤或脑血管意外。与功能图像不同，形态成像技术提供的是"静态"图像，即和大脑特殊活动无关。

⊙ X 射线断层扫描

X 射线断层扫描（CT）提供的是被检器官的精细水平剖面图，能清晰地分辨那些在传统 X 光片上看不见的或容易同其他器官混淆的人体器官。CT 成像技术依靠的是 X 射线的放射性（使用不会对人体造成危害），电脑以数字图像的形式显示通过人体的 X 射线数据，不同的人体组织吸收 X 射线的量不同。脑 CT 能清楚地显示脑血管的畸形（动脉血管瘤）、脑血管损伤（脑溢血、脑梗塞）、肿块、肿瘤、严重创伤引起的脑损伤、与神经元缺失相关的脑萎缩等。这种技术能把受损伤的大脑的图像同记忆测试结果联系起来，帮助我们对记忆发生的位置有了更多的了解。

⊙磁共振图像

通过磁共振（IRM）得到的图像要比 CT 扫描得到的更精确，特别是在某些区域（比如脊髓）或者在某些感染性疾病的情况下。CT 扫描只能得到横切面图像（与人体主轴垂直），通过磁共振则可以得到纵切面和斜切面图像。

在进行 IRM 检查时，身体进入一个强大的磁场，人体组织中所有水分子中的质子都朝向同一方向。当磁场中止时，质子又回到原来的位置，同时放射出反映机体组织密度的特殊电磁波。

2. 功能成像技术

最新的功能成像技术使我们对人体组织解剖和大脑"正常"运转的理解发生了巨大的改变。这一技术使我们更重视某些脑部疾病患者的大脑的整体运作，也使得与大脑（特别是那些健康人的）精细运转相关的区域显现出来。在后一种情况下，获得的图像质量出奇的好。当被检测者在大脑中搜索词语或文化信息时，读文章或听音乐时，对面孔或工具进行指名时……功能图像显示大脑的不同区域在"发亮"。这一技术在基础研究中被大量应用，同时也改进了对某些神经疾病的诊断。

⊙单光电子发射体成像

单光电子发射体成像（single photon emission computed tomography, SPECT），即在人体组织中植入无防御性放射物质，然后通过一个特殊的照相机探测其放射线，再用电脑处理所获的信息，得出被探测器官的切面图像。SPECT 能够显示出在感染期间，如精神错乱或者血管发生意外时，脑功能的异常。

⊙ 正电子 X 射线断层成像

目前有许多研究中心应用正电子 X 射线断层成像 (position emission tomography,PET) 技术对人体的不同器官（心脏、肝、肺等）进行了非常精确的生理学研究，特别是大脑。该技术对神经递质以及大脑活化机理的认识取得了极大进展。

通过释放正电子得到的断层图像，除了对基础研究的许多领域具有重要意义外，也是诊断癫痫、帕金森病和阿尔茨海默氏病的一个强有力的方法。PET 基于的是与正电子相关的射线的探测，正电子是一种比电子轻的基本粒子，但是带的是正电。由放射性物质发出的正电子融入具有特殊生物化学性质的分子中后，借助正电子照相机我们可以观察到分子在机体内的分布，同时通过电脑可以重组大脑的截面影像。PET 特别适用于观察一些生理现象，比如血液的流量、人体组织中水或氧的分布、蛋白质的合成等。它能揭示在执行记忆任务时血液流量和大脑中化学物质的变化，帮助科学家们获悉在记忆研究时大脑中的化学系统与身体结构是如何相互作用的。

3. 功能磁共振图像

功能磁共振图像（IRMf）技术被用于探测某一器官在一段时间内血液分布的变化，这一测试能反映在活动增加的情况下人体组织耗氧量的变化。将功能磁共振图像与休息状态得到的图像比较，可以研究某一器官在特定功能中的作用。比如让我们真切地"看到"记忆在实际情况下的活动。

IRMf 主要用于分辨负责不同功能的大脑区域，比如视觉、听觉、记忆或者语言。被检查者在进行某些精确的脑力任务时，我们可以观察到活跃着的大脑区域。作为对传统医学成像技术的补充，IRMf

能协助医生做那些非常接近脑部十字区域受损的大脑外科手术。

评估你的记忆能力

1. 你对待生活的大体方法

本问卷由 20 个问题组成。请仔细阅读每个问题及其答案，然后选出最适合的答案。

⊙你认为自己是一个有条理性的人吗？

1. 完全不是　　　　2. 有一定的条理　　　　3. 非常有条理

⊙在你参加一个会议时，下列哪个答案最能说明你的状态？

1. 发现自己思绪漂移出去，想着其他事情

2. 只要主题有趣，就能很好地摄入信息

3. 总是能随时集中精神并记得住

⊙你乱放钥匙吗？

1. 经常会　　　　2. 有时会　　　　　　3. 从不

⊙你有时间安排表吗？

1. 没有　　　2. 试过，但发现难以随时更新　　　3. 有

⊙你是否每星期不止一次感到有些晕晕乎乎？

1. 是的　　　　　　2. 有时　　　　3. 没有

⊙你是否发现一直有太多的事情要做？

1. 是的，我不太擅长于熟练掌握事情

2. 我有时不得不加班加点以跟上进度

3. 不会，我基本上能掌控局势

⊙你是否感到难以记住密码？

1. 是的，我很难记住这些东西

2. 我偶尔会在想它们时碰上些问题——因为我对不同的东西设

的密码不同

3. 不会，我用的密码不仅熟悉而且易记

⊙你是否有过走进一个房间却忘了为什么走进去的时候?

1. 经常　　　　　2. 有时　　　　　3. 从未有过

⊙你是否吃大量的新鲜蔬菜和水果?

1. 不　　　　　2. 尽量　　　　　3. 是的

⊙你能记得给人们发生日贺卡吗?

1. 不能，我记不住日子，所以不知道什么时候该送

2. 只记得同我关系密切的人

3. 是的，我有生日的清单

⊙你是否容易分心?

1. 是的，我发现难以让自己长时间地把注意力集中在某件事情上

2. 有时

3. 从不

⊙你认为新信息好记吗?

1. 不　　　　2. 如果听得仔细的话　　　　　3. 是的

⊙你是否让你的思维保持活跃?

1. 并不完全如此　　　　　2. 尽量　　　　　3. 是的

⊙你是否乱涂乱画?

1. 经常　　　　　2. 有时　　　　　3. 从不

⊙你的家庭开支是否有条理?

1. 没有

2. 有一定的条理

3. 是的，我先会以一定的次序将它们排列，所以总能按时开支

⊙你多久做一次身体锻炼?

1. 从不，我讨厌做身体锻炼　　　　　2. 有时　　　　3. 至少一周两次

⊙你丢过东西吗？

1. 经常　　　　　2. 有时　　　3. 从未

⊙当有人给你介绍新朋友时，你是否能记住他／她的名字？

1. 几乎不能　　　2. 有时能　　　3. 每次都能

⊙你有没有做过白日梦？

1. 经常　　　　　2. 有时　　　3. 几乎从未

⊙你是否经常会为某些事情紧张？

1. 经常　　　　　2. 有时　　　3. 几乎从未

　　把你所选答案的序号加起来（序号即代表得分），看看你属于哪一类记忆个性。

得分

20 ～ 30 分：最佳化程度差

　　你也许精神不太集中，感到自己的记忆力不是很好。你可能条理性较差。你似乎不太积极利用记忆策略或如列清单之类的帮助记忆的工具。你的生活方式可能也不是特别健康。

　　如果你属于这种个性类型，就要多下工夫学习提高注意力以及使用记忆策略，从而提高自己的日常记忆功能。专心致志是摄入信息并将其存储起来的基础。记忆策略或记忆帮助工具能帮助你更好地存储记忆信息。你可能还需要考虑改善你的生活习惯，因为健康对你的记忆力会产生很大的影响。

31 ～ 45 分：最佳化程度中

　　你的生活也许安排得还可以，但感到可以有更好的记忆力。你也许相当有条理，但还有提升的空间。你试过以一种健康的生活方式生活，但并不十分成功——因为你感到自己太忙了。

你应变得更有条理，学会更有效地利用记忆策略，并学习新的策略，会极大地改善你的记忆和注意力。生活方式的改进也应该成为你总体提升计划的一部分。

46 ~ 60 分：最佳化程度好

你的记忆力可能已经不错并能有效地利用记忆策略。你可能也正努力以一种健康的生活方式生活。因此，紧张程度相对较低。

提升的空间仍然存在——如果你对记忆是如何运作的了解得更多并学习了新的策略，你就可以进一步强化自己的记忆。

2. 评估你的临时记忆

⊙第 1 部分：评估你的数字记忆能力

叫一个朋友读出如下次序的数字，你的任务是以同样的次序复述这些数字。试试看你做得怎么样。

18　13　71　43　7　58　2　9　6　5　4　16　25　34　95　19　20

得分

少于 5 个 = 差；5 ~ 9 个 = 中等；多于 9 个 = 好。

⊙第 2 部分：评估语言记忆的能力

看一下下列词汇并试着记住它们——不要把这些词汇写下来。你有 1 分钟的时间。

木偶	火车	上衣	毯子
汽车	足球	椅子	裤子
桌子	摩托车	谜语	沙发
帽子	玻璃球	直升机	袜子

现在把这些词语遮住，然后尽可能多地把这些词语写出来。

得分

少于 5 个 = 差；5 ~ 9 个 = 中等；多于 9 个 = 好。

你注意到这些词有什么特殊规律了吗？如果没有，再看一次。如果你看得仔细，你将会发现这些词可以被分成 4 个主要类别（玩具、交通工具、家具、服装）。增强记忆最简捷的方法之一是将有关项目按类别组合。这能降低记忆的负荷，从而使记忆更加容易。

⊙ **第 3 部分：评估你的形象和立体记忆**

仔细观察下面的 10 个图形 1 分钟，努力记住它们，看你能记住多少？

得分

少于4个＝差；5～7个＝中等；8～10个＝好。

⊙**第4部分：评估你的视觉识别记忆**

看下面的这组图。它们中哪些你在前面看见过？把你之前看见过的图勾出来，然后对照一下，看你答对了多少。

⊙**第5部分：记故事**

阅读以下段落。不要记笔记，但在手边准备好纸和笔以备后用。

罗先生正走在去一家超市的路上，他要买早餐、一瓶啤酒、两斤鸡蛋，以及一些甜品。当他沿着人行道往回走时，看见一位女士在一块石头上绊了一下，摔倒在地，撞到了头。他赶紧跑过去看她是否需要帮助，并看到她头上的伤口正在流血。他奔向周围最近的房子，敲开了门，告诉来开门的女子发生了什么事情，并请她打电话叫人帮忙。15分钟后，来了一辆救护车，把受伤的女士送进了医院。

现在，把这个段落盖起来，然后根据记忆（尽可能按照原来的词句）写出这个故事。

得分

你能回忆起多少条信息？

少于 15= 差；16 ~ 25= 中等；超过 25= 好。

大多数人肯定能记住故事梗概，而且可能还能记住一些细节，然而要一字不差地写出这样一个故事则是一件很困难的事情。

我们大多数人在阅读书报时往往只记住大概意思而不是逐字逐句地通篇记忆。这是因为，虽然词句是重要的，但我们的记忆幅度是有限的；所以词句就成了故事的"路径"，因而我们记住的只是大概的意思。重要的是词句所传递的是内容而不是词句本身。人类的记忆也更善于记住值得记忆的片段或那些同我们个人有牵连的东西。

⊙ **第 6 部分：识别记忆**

看一下下面的这些词汇并记下哪些在前面的练习中出现过。不要翻回去看，你能认出哪些单词自己在前面看见过吗？

木偶	足球	垃圾箱	熨斗
汽车	帽子	轻型摩托车	火车
摩托车	房子	上衣	直升机
毯子	沙发	谜语	窗户

得分

翻回去对照一下，并计算你的得分。

认出少于 9 个 = 差；9 个 = 中等；10 个以上 = 好。

我们大多数人非常善于识字。识别往往是作为记忆自然的提示，因为词汇本来已经存在于你的大脑中了，你只需要分辨哪些见过、哪些没见过。它所需要的努力要比回忆少一些。我们的记忆系统有一个怪癖，即回忆可能来自相同类别的普通项目比较容易，但识别不太普通的项目相对更容易。项目越是类似或普通，就越是难以分辨。

3.评估你的长时记忆

⊙第1部分：经历性记忆

这一类型的记忆往往有不同的种类。

试试看回答以下问题：

1. 你的祖母叫什么名字？

2. 你出生的地址是哪？

3. 你第一个喜爱的玩具是什么？

4. 你小时候最喜欢吃什么？

5. 你小学时的绰号叫什么？

6. 你的祖父是怎样维持生计的？

7. 形容你祖父的外貌。

8. 想一件你 5 岁前收到的礼物。

9. 想象一下你成长的房子，第一扇门是什么颜色？

10. 你小时候的邻居是谁？

11. 你能回忆起上小学第一天的情景吗？你穿什么衣服？

12. 你的第一位老师是谁？

13. 你小时候做的最顽皮的一件事是什么？

14. 你最早的记忆是什么？

15. 你 11 岁时的同桌是谁？

16. 哪位老师你非常不喜欢？

17. 你能否记起在学校用心学过的文章？

18. 第一个让你心动的人是谁？

19. 你第一个约会的人是谁？

20. 第一个伤你心的人是谁？

21.11 岁时，谁是你最好的朋友？

22. 你记忆最深的第一个假期是什么？

23. 你记忆中最早的节日是什么？

24. 描绘一件你喜欢的玩具。

25. 你什么时候学的自行车？

26. 谁教会你游泳的？

27. 你第一个真正的朋友是谁？

28. 你童年最喜欢的游戏是什么？

29. 你 5 岁时最喜爱的电视节目是什么？

30. 你的第一个纪录是什么？

31. 你在小学时最喜爱的体育运动是什么？

32. 你对较早之前的往事有没有一个深刻的记忆？

33. 有没有一种特殊的气味能使你生动地想起往事？

34. 你的第一只宠物叫什么名字？

35. 你给喜爱的玩具起了多少名字？

36. 你能不能详细地记起 11 岁前的考试片断？

37. 你 5 岁前最喜爱的歌曲是什么？

38. 你 11 岁之前是否有自己的朋友圈？列举两位朋友。

39. 你能否记得小时候幸运避免的一些事情？

40. 你童年时生的最严重的一场病是什么？

41. 你一生中最美好的回忆是什么？

42. 你有没有童年的挚友，阔别已久后再次见面？

43. 你是否记得高中时的一些数学公式？

44. 相对于最近发生的事，你是否更容易记得往事？

45. 你能否记得当你闻讯北京申奥成功时，你身处何地？

得分

30 项以下＝差；30 项＝中等；超过 30 项＝好。

大多数人在这个测试中都能完成得很好，基本上能回答 30 多道题。一旦你开始回答这些问题，你就会促使自己回想更多的往事。这种回忆的感觉会持续很久。也许它还能促使你拿出一些旧照片或纪念品怀念，给老朋友打电话，或者找寻失去联系的朋友。一旦你的永久记忆受到激发，它将发挥巨大的功能。你会惊叹于你能回忆的所有细枝末节。

你可能会发现以上有些事情比其他的更容易记得。如果当时有重要事件发生或该事件对你有着不同寻常的意义，那么记起自己当时在哪儿或在干什么就容易得多。这是因为，我们没有必要记住我们生活中的每一个时刻。我们的记忆会自动地对信息进行筛选，于是我们就会忘记我们所没有必要知道的东西。

⊙ **第 2 部分：语义性记忆**

你的常识怎么样？语义性记忆是我们自己对事实的个人记忆。试试看回答以下问题，并看一下你的知识怎么样。

1. 葡萄牙的首都是哪里？

2.《仲夏夜之梦》的作者是谁?

3. 青霉素是谁发明的?

4."大陆漂移说"是谁提出的?

5. 离太阳最近的第五颗行星是哪一颗?

6. 曼德拉是在哪一年被释放的?

7. 俄国革命在哪一年?

8. 一支足球队有多少名运动员?

9. 圭亚那位于哪个洲?

10. 在身体的哪个部位可以找到角膜?

11. 到达北极圈的第一位探险者是谁?

12.《物种起源》的作者是谁?

13. 与南美洲接壤的是哪两个大洋?

14. 比利时的首都是哪里?

15. 静海在什么地方?

16. 第一次世界大战的起讫日期是什么?

17. 卷入水门事件丑闻的美国总统是哪一位?

18. 拿破仑最后被放逐到什么地方?

19. 色彩的三原色是什么颜色?

20.《热情似火》的女主角是谁?

得分

少于 10 个 = 差;11 ~ 15= 中等;16 ~ 20= 好。

答案

1. 里斯本　2. 莎士比亚　3. 弗莱明　4. 魏格纳　5. 木星

6.1990 年　7.1917 年　　8.11 名　　　9. 南美洲　10. 眼睛

11. 罗伯特·爱得温·派瑞　　12. 达尔文　13. 太平洋和大西洋

14. 布鲁塞尔　15. 月球　16.1914 ~ 1918 年

17. 尼克松　18. 圣赫勒拿岛 19. 红、黄、蓝　20. 玛莉莲·梦露

　　我们的语义性知识会随着许多不同的因素而变化，例如你来自何方、你的年龄、兴趣，以及其他等等。要扩展你在已经有所了解的方面的语义性知识是比较容易的，因为这些知识更有意义。

第四章
提高你的记忆力

提高你的内部主观记忆

1. 主动编码和存储策略

⊙无错误学习

无错误学习是一个需要理解的重要概念。有个秘密就是，如果你要求别人猜出答案，他们就更有可能记住。事实上，如果他们是在指导下得出正确的答案，记住的可能性就还要大得多。

如果你问一个孩子："你能找到自己的足球吗？"他可能首先到床底下找，然后去客厅，再到楼梯下找，并且终于在那儿找到了。下一次，这个孩子的第一反应可能仍然是先到床底下找。

如果你换一种方式说"让我们找一下你的足球"，并且头或眼睛转向楼梯，孩子就更有可能做出正确的反应。

几条总的规则

（1）更少是为了更好

第一条策略是问一下自己："这是不是我真的需要记住的？"虽然我们的大脑容量非常大，但你还是需要选择自己所需要记住的。试图记住太多新的东西可能导致干扰和负载过度，而这会让旧的信息更难以记起，要避免这个问题，就需要进行一定的筛选。

"我能现在就处理这个吗？"

你经常会有机会通过保证自己一接到任务就处理，从而减轻自己记忆系统的负担，因为这样你就不需要对它进一步加工。重要的是要考虑你如何能让自己免于深度加工信息，从而可以让记忆对付更为重要的信息。例如，你没有必要记住每个人的电话号码，只要记住那些你经常打的就够了。

（2）不要害怕提问

要养成这样一个好习惯：尽量想办法向别人要信息，如他们的姓名，这让你无须加工这些信息而且它也不会让你感到难堪。例如，如果有个你只见过一次或两次的人对你说："啊，非常抱歉，我记不起你叫什么。"你会感到受侮辱吗？可能不会。如果他猜错了你的名字，你受到的侮辱可能更大。在你犯下令人尴尬的错误（而且有第二次还会犯错的风险）之前，让他确认自己的姓名可能会是一个好主意。

事实上，无错误学习指出，如果你去猜人名，那么当你第二次碰见同一个人时，你记得的可能是你猜错的名字而不是正确的。无错误学习通过对事物的确认而不是假设另外的情况，帮助你的记忆系统巩固正确的记忆。所以，不要去猜（即使机会是 50%），出于你的礼节和记忆的考虑，还是再问一下的好。

⊙**死记硬背式学习**

我们经常习惯于用重复的形式——例如，通过一遍又一遍地反复阅读来学习，这种方式叫做死记硬背式学习。研究表明，这种方式并非真正有效。设想你正在复习，准备参加一场历史考试。就某一个主题，你就有许多的史实、日期和人名要了解。你翻看笔记、把关键的细节列出了一个清单，然后反复看了多遍。在考试中，你在回答论述题时十分得心应手，并且将你所记得的大约50%的史实、日期和人名尽可能地塞进答案中，可你还是只及格而已。

死记硬背式学习的缺点在于它只是一种浅显的加工形式。要记得更牢，就必须对信息进行更为深刻的学习，而且对信息编码的方式要让自己在很久以后仍然能有效地回忆起来。要做到这点，就需要在你的学习中增加意义，并使用额外的策略。

⊙分块

把信息分成小块有助于回忆，因为你通过对资料的组织帮助自己记忆。分块在记号码时非常管用。2064116890 这个号码可以这样记：

2 0 6 4 1 1 6 8 9 0

这个信息共有 10 个部分，而这对于你的运作记忆来说太长。如果你将这个号码分成 3 个部分，就容易记了：

206-411-6890

⊙条理性策略

你的记忆越有条理，就越容易学习和记忆。正像在一团糟的办公桌上或乱七八糟的房间里难于找到东西一样，如果你的记忆库条理性很差，就难以记住东西。长时记忆的结果非常明确，存储库虽多，但相互之间都有一定的联系。因此，有组织的信息便于记忆。

从某种程度上来说，我们的长时记忆库有点像一个档案柜或电脑里的档案，其中主要的文件夹被分成几个小文件夹：我的账目、我的文件、我的图片等。在这些非常笼统的文件夹里，存有一些小的文件夹。除了有主题以外，这些小的文件夹还有日期和时间的条理。这种组织信息的方法使得信息在你需要时易于再现。

2. 注意力集中的威力

如果你想要学或记某样东西，就一定要对它加以适当的关注。注意力集中让我们能处理信息，使之停留足够长的时间以备利用。

它包含思维警觉状态、长时间全神贯注、不分心，并且有效地分配资源满足不同的需求。注意力集中程度差意味着不能摄入信息，而后记忆也就没有机会进入我们的长时存储库。通常的情况是，丧失记忆或明显的"记忆力差"，仅仅是因为首次未能充分注意。虽然这实际上很明显，但你却不可以低估它的重要性。当你意识到注意对记忆加工至关重要时，改善自己的记忆就容易了。

⊙持续注意

我们大多数人过着繁忙的生活，有太多事情要做。由于有太多的琐事，我们不能集中注意重要的事情。因此，分辨重要的细节、人名，以及其他重要的东西的能力对于有效地回忆信息至关重要。我们已经进化到拥有一个系统来帮助我们注意（或不注意）一些事情。

持续注意指的是我们在一段持续的时间内保持对某件事情注意的能力。动机和思维的激发程度是影响注意的关键因素。要使你的注意力保持足够长的时间，以便加工信息进入记忆（即对其进行编码），就必须留意自己的持续注意界面——20分钟、40分钟，也许再长一些，这取决于你正在加工的信息类型。

案例

设想你正在办公室的电脑前工作，旁边的电视里的财经频道正在播出股票信息。屏幕上的东西太多了，所以无法全部留意——商务信息、好几组数据、主持人的声音。你对节目的注意可能只能让你知道，此时的股市情况尚还可以。

设想现在你突然听到了股市的某一个板块（时装行业）因为其中一家主要的时装公司破产而表现不佳。这引起了你的注意，因为你手中握有的一些股票是时尚在线时装公司的。于是你开始收看收听任何关于这支股票的消息。你的注意力很大程度上在关注这个节目，留意是否会提到时尚在线。节目播完后，你把注意力转回到工作上，对电视充耳不闻。

设想你最后打算在网上卖掉自己的时尚在线股票，但你的电脑出了故障。你正在听电脑服务部门的指导。你也许对这些指导听得非常专心，但如果你越来越焦急的话，就可能会警觉过度。你的思维就可能会因为刺激过度而过了最佳状态，而这些指导就在脑海中变得一团糟。事实上，你要担心的事情可能已经够多了，以至于运作记忆已经没有足够的空间来容纳这些指导了。

⊙管理注意力

当我们抱怨自己的注意力无法集中时，这通常意味着由于各种各样内外部的事情使 我们分心。学会管理自己的注意力将帮助你把注意力集中到自己所期望的方向。

构建自己的发电站

集中注意力是记忆的发电站。不管你学到了多少方法和技巧，你的记忆潜能都不会完全得到发挥，除非你学会了如何集中注意力。并不是每个人都能做到集中注意力，虽然它很重要，而且我们从小就要接受集中注意力的训练。我在读书的时候，老师总会管束我们说："注意力集中啦，孩子们！"我们做得好的时候，她们也会说："非常棒！"

集中注意力练习

当你集中注意力时，你还应该考虑别的什么事情呢？一则就是要组织好时间。要留出一定的时间来完成特殊的任务，不要占用这些时间。我们很容易坐定开始一项任务，然而这项任务并不是我们的兴趣所在，因此我们便习惯性地开始走神想别的重要的事情。于是，想着来杯咖啡，然后去看看报纸有没有到，接听电话聊聊天。既然你已经拿着电话了，就会想着不妨给朋友打个电话，然后继续聊。如果你意识到了这些情形，那么你不需要定期进行注意力集中的训练，但是你要学会合理利用自己的时间，充分利用时间来完成任务。

当你制定时间表时，要时刻参照你一天的行程。不要因为别人的打扰而将复杂的工作分成好几次。你可以选择别的不易被打扰的时间（比如清晨），这些时间非常宝贵。

在工作进程中，如果发现事先安排的时间表不合适，那么你可以对它进行改动。这关系不大，重要的是你能够按照时间表的规定完成任务后，不会因为匆忙而心烦意乱。

⊙分散的注意力

你想把注意力保持在某件事情上，但除此之外的所有其他东西会通过引起你的兴趣与之争夺。有时，你可能需要有意识地在脑海中同时保留两件或更多事情，这被称为分散注意（或者如果只有两件就称作双重注意）。通常情况下，你会根据需要选择性地转移注意，即，你会先注意更为重要的事情，同时把另一件事情保留在脑海中，然后在它变得更为重要时转而注意它。这是执行多重任务最最基础的技能。

案例

设想你还是在伏案工作。你想要做好一笔账，同时又想查一下某支股票现在的表现。因为听到股价开始上下波动的消息后，你正在考虑是否要将它出手。你所处的是一个敞开式的办公场所，当时里面一片嘈杂。这时，电话铃响了——一位客户想要查找一些信息。你一边和她交谈，一边再次查了一下所持股票的在线账户。通话结束后你回头继续工作。闻到调制咖啡的味道就做了个手势表示也想要一杯。有个同事问你是否打算参加办公室之间的足球挑战赛，你又查了一下股票。

在以上的案例中，你需要注意许多事情，但你仍能有效地进行处理。这是因为大脑天然的注意系统帮助你集中注意你当时所需要做的以及下一项手头的工作。如果有太多的信息资料涌入，那么你就会一筹莫展，而且如果你同时做多项任务，就可能会出错。有些人擅长于分散注意，因而能同时做多项任务；有的人则更加讲究次序，即，更擅长于一次做一件事情。如果你对正在做的几件事情非常熟悉，那么，分散注意也就相对容易一些。

⊙ 使信息有意义

记忆是信息被感知和编码的产物，"意义之后的努力"可以产生更好的记忆。所以，使信息有意义会通过加深信息轨迹使之比其他只有浅度记忆的对象更加明显，从而提高我们的记忆。加工的程度越深，我们就记得越牢。

所以，如果你需要记住某个讲座、书上、专题探讨会、演讲，或交谈中的信息，关键在于要确实地关注其意义所在。也就是说，你的记忆系统正在努力使得信息有意义。所以，如果你能有意识地帮助它这样做是有利的。问问题也有助于我们的理解。

苏格拉底法

使信息有意义的一种方法是由古希腊的哲学家苏格拉底发明的，并因此被称为苏格拉底法。它主要是询问一些你想要达到什么目标的问题。苏格拉底的问题往往是"我对此已经了解多少"和"我从中能学到什么"之类。换句话说，你正试图访问任何你已经为某个特殊类型的信息所写的剧本或计划，从而明白自己正在对它如何增补。

有一种记忆法可以帮助人们记住苏格拉底类型的问题从而帮助他们的记忆：预提阅总测，即：

预览：粗粗看一下信息，了解它大体说什么。

提问：你希望通过看（或听）这个信息回答哪些问题？

阅读：看（或听）。

总结：什么是该条信息的概要？

测验：你找到所有问题的答案了吗？

用"预提阅总测"测试一下你收看的电视节目或阅读的报刊文章，看它对你是否有用。

同他人一起讨论

就观点展开讨论对于你的记忆是非常有益的。通过这种方法，你可以描述你对某件事情的看法并得到别人的观点。你一旦真正理解了一个观点并能对它进行描述，那么今后记起它就容易得多，而且它还能自然地与你已经掌握的知识结合起来。如果你尚未完全掌握，或者知识中尚有缺口，那么它们就会在讨论之中显现出来并得到填补。

扩充已有的知识

新的东西在我们学习之前，要记住它可能看上去是一件令人生畏的事情。然而，我们一旦开始学习，知识的建立就越来越容易，因为它变得更有意义并构成了一幅图画。我们叫某些人专家就是这个原因：他们在创建了原始知识基础之后，越过通常的边界，扩充了自己的知识。

设想你计划去某个国家度假，这个地方你从未去过。你对它有个特别的感知，也许是来自于在新闻中收看到的那儿发生的一些事件或是学校时上的地理课。到了那儿以后，你参观博物馆并租了一辆车四处游荡。在所有这段时间里，你一直在建立一个叫做"××国"的记忆信息库。

由于你的知识，当你在新闻中看到有关这个国家的事情时，它们就更有意义，因此你会加以注意并收听。你理解其中的内容，而且容易将它们加入自己的知识并记住有关信息。

3. 学习时的联系策略

有意地将你所想要记住的同自己所熟悉的结对，即，创造一种联系，对你的记忆存储系统是有帮助的。有些联系易于建立，但大多数事物之间的联系并不是十分明显，因而你必须更有创意才能建立联系。好在只要你能练习建立联系，就会逐渐对此擅长，而且一段时间后将能不假思索地这样做。

⊙使用记忆帮助工具

它包括诗歌、有纪念意义的格言，以及其他可以用来唤醒记忆、帮助记忆的东西。你还可以自己编造一些来帮助自己记东西。

⊙形象化

要学会将信息同可视的图像联系起来。困难的材料可以被转换

成图片或图表。具体的图像比抽象的观点、理念更令人难忘，图片为什么更令人难忘就是这个道理。用一下你的思维之眼。如果要记住有关其他人的信息，用形象化的策略就特别管用，因为我们对他人的了解是通过看他们获得的。

◉ 图像对于记住人名大有帮助。这幅凡·高的自画像，一定会让你对他的名字印象深刻。

对人名的形象化

可视的图像对记住人名（尤其是外国人名）非常有帮助。你可能会注意到自己能记住更加具体和形象化的人名，然而，大多数名字要抽象得多，这就是我们为什么都不善于记住它们的原因。在这些情况下，试一下将名字同

有意义的可视图像联系起来。

首先，想一下某人的名字是怎样写的。

然后，试一下将这个名字同某个容易记住的可视附属品联系起来，例如，麦克尔对着麦克风唱歌。

定位形象化

将手头的事情想象成一所有许多房间的房子是一项有用的技巧。你有几个不同种类的信息要记，因而就把每种类型的信息放在不同的房间里。当你需要记起什么时，你的思维就会在房子里走动，顺路挑出信息。

找到出路

许多人的方向感较差，但这很容易通过练习来提高。试一下以下几条以到达你的目的地：

仔细地看一下一张真正的地图以形成一幅形象化的地图，并使道路形象化。

当你在路上时，试着用思维之眼看地图。

如果道路错综复杂，在你上路之前就应在你的可视图像里加入有序的转向清单，那么在你去的时候就可以参照这个清单。

去了以后你还得回来。所以，在你去的时候，找一下路标（务必确保在你设计自己的路线时注意了关键的路标），这将有助于你回家。

4. 脑海中的演练

⊙主动再现

还记得即使没有受到其他信息的干扰，信息也只能在你的运作记忆中停留最多 30 ~ 40 秒钟吗？运作记忆还有大约 7 个空间的极限。在自己的脑海中演练信息是有助于保持事物存在的一种方法。你要做的只是在头脑中反反复复地重复。在演练时，试一下为信息加上意义，因为这可以使它更容易被深刻地记住。

195

⊙扩大的演练

如果你需要把信息保存更长时间，而并不仅仅是收到后写下来，在不断增大的间隔重复该数字（或清单）是一个非常有帮助的策略。它被称为扩大的演练。以5秒钟演练一次开始，然后10秒钟一次，20～40秒钟，再是60秒钟，依此类推。这意味着你在不断加大的时间幅度中回忆着信息。

⊙归类演练

归类演练是另一个有助于你组织记忆的策略。设想你必须记住一份清单，上面是你要赶在圣诞节最后一秒钟去买的东西。

清单上写的是：贺卡、柑橘、围巾、啤酒、包装纸、红酒、笔、名画、袜子、磁带、牙膏、巧克力、开心果。

按以下重复这份清单将有助于你更好地记忆：

文具用品：贺卡、笔、包装纸、磁带

礼物：围巾、名画、袜子

饮料：啤酒、红酒

食品：巧克力、柑橘、开心果

日用品：牙膏

这种有效地突出和引出具体项目的方法正是所谓的归类演练。出现的意外是有时有些东西不能很好地归类，遇到这样的情况，你可以在归类中加上"其他"。

⊙进一步划分归类

设想你现在可以迈着轻松的脚步去购物。在你脑海中也许有一套所需购买的东西（食品、日用品、工作所需物品）。在去商场之前，你可以按照要去哪一类的店铺来组织信息，然后设想将它们做进一步的分类：

	蔬菜：胡萝卜、蘑菇、菠菜
超市	家庭用品：洗涤剂、垃圾袋
	奶制品：牛奶、酸奶、奶油
	婴儿用品：棉花球、儿童霜
办公用品店	公司：电脑、磁盘、打印机墨盒、打印纸
	家用：台灯、铅笔、剪刀

⊙树状图

如果你确实在自己出发之前将所需要买的东西按一定的次序理顺，就能记得更多自己所要的。画一张树状图是一个好的方法。把不同的店铺想象成树的枝杈，店铺里物品的种类就是分枝，而个别物品就是分枝上的树叶。

提高你的外部客观记忆

1.再现策略

如果你已经使用了策略进行编码和存储，那么你的记忆再现应该已经得到了提高。如果你仍有信息自己想访问却不能完全找到，那么，针对这个还有一些有用的策略。

⊙目录搜索

用目录搜索可能是再现的有效线索。例如，你已经到了超市却忘了带写好的清单。当你在过道里走来走去时，看一下你在哪个区域——比如在食品区，思考一下自己在食品目录下可能需要的东西。

⊙形象化搜索或脑海回顾

使用形象化搜索也许可以再现记忆，特别是针对你放错地方的东西，它包含按逻辑顺序在脑海中回顾自己的动作、活动，以及想法。例如，如果你找不到钱包，就想想你最后一次付钱是在什么地方。你把钱包放进自己口袋里了吗？查看口袋里有没有。如果没有，努力想一下从那以后是否用过钱包或者把它放在了别处。

实例：我把手机忘在哪儿了？

在走进这个房间之前，我在接待处签到。在此之前，我在车上。我把手机忘在接待处了吗？不会，否则他们会提醒我的。我把手机忘在车上了吗？我想不起是否将它带到了车上。嗯，上车之前我在哪儿呢？我在家里。我记得拿了电话，关上了门，然后将电话放进了口袋里并上了车，然后将它放在了仪表板杂物箱里。啊，对了，我把电话放在了仪表板杂物箱里了。

⊙**前后联系提示**

在脑海中将自己放回到你所处的前后联系中可以帮助你更好地回忆。例如，试一下是否记得两天前午饭吃的是什么？让思绪回到所说的那天。你在哪儿？在哪儿吃的午饭？和谁在一起？吃了什么？现在你也许记起来了。

⊙**总结**

再现策略有助于为了特殊的目的而加工信息。你可能只需要这个信息一会儿，但也许你会在下半辈子都需要它。重要的是根据你的记忆类型、需要加工的信息的种类，以及你的需要来选择对你有用的策略。

你可能需要花些时间才能习惯于使用策略。在开始的时候，它甚至可能还会让你慢一拍，但它是有帮助的，而且很快它就开始给你回报。

我们还能做其他什么事情来帮助自己记得更牢和更有效呢？有一条普遍的错误观点认为，如果你依赖于一个写下来的记忆系统，就不能提高自己的记忆力。而临床医学研究所揭示的真相恰恰与之相反。事实上，正是那些使用结构系统写下并组织信息的人比只是用主观策略（他们经常忘记使用的）的人在记忆技巧上显示出更大的提高。写下并思考信息的举动似乎比仅仅试图去记住它更能锻炼记忆系统。

2. 时间管理

这是提高你的计划性和条理性并最终提高自己记忆表现的一个有效方法。你们许多人听说过这个观点，但它的真正含义是什么呢？答案是通过创建一个系统来有效地处理并享受工作和人生。我们每个人都有不同的做事方法、不同的义务等，但你仍然可以应用一些基本的原则：

（1）草拟一份人生计划。

（2）使用电子管理器。

（3）把事情做完。

（4）委派任务。

（5）列出清单。

（6）学会说"不"。

（7）不要工作得太晚。

⊙草拟一份人生计划

人生计划的重要之处在于它不仅包括你的工作，还包括你的整个生活、人际关系、家庭、朋友、健康、日常琐事等——它们每一样都得编织进你的计划。草拟人生计划可以分两步走。

做一个周计划

它能帮助你计算出：什么事你花的时间最多；什么是你喜欢做却没有做的；你有没有花足够的时间在家庭上；你访友的次数够不够；你有没有时间做日常琐事……

这样做可以让你有机会仔细地看一下你在工作、家庭和休闲之间的时间分配比例，并帮助你计划恢复平衡并同时掌控所有的事情。

做一个月计划

在这个计划中可以使用电子管理器，因为它能让你一次性看到整个月。分配好工作时间后，试着给家庭、朋友、身体锻炼、特殊兴趣、特别项目、购买食物、付账单等安排成块的时间。确保你还留有一些空余的时间，因为你不想让生活太军事化管理，因而需要一些计划外的事情来调剂，如给自己的自由支配时间或者一时冲动外出旅行。也不要一周每个晚上都有安排，因为你会发现自己如果过度劳累，就会开始感觉有些失去控制，并会注意到短时记忆和任何复杂的事情变得完全不同。

⊙**把事情做完**

有个好方法就是在估计某件工作需要多长时间时多估一点，以保证及时完成，即使是万一有不可预见的拖延，也能使紧张最小化。这甚至可能意味着能比预想的早回家，给自己的伴侣或家人一个惊喜。它会给你的老板或客户留下一个印象，因为他们感到可以信任你会高标准地准时完成任务。最重要的一点是，它能让你避免处于紧张状况之中，因而就能更加放松并发挥出非常好的功能。

⊙**列出清单**

列清单对你有非常大的帮助。它也是将你头脑中的想法取出来写在纸上，从而解放你的大脑的一个好方法。它们能帮助你时时掌控局势，并在有关项目完成后进行核对。开发一个适合你自己的清单系统。你可以从以下几条做起：⊙早晨的第一件事，写下你要做的每一件事情，无论大小。⊙然后将这份清单进行分解。把当天必须做的最重要的事情用星号标出，或将它们按照重要性的次序排列。现实一点，不要希望制订自己没有时间达到的目标。

⊙**查对项目**

清楚当天还剩多少时间以及还有多少要做；如果你有条理就能

做完每件事情。

如果有许多费脑费时的任务要完成，就把当天的时间分成几大块，然后按照既定时间进行。例如，用一天的第一个小时完成小的行政事务。这样，你的大脑就能解放出来，去一个一个地处理更为重要的任务。保持掌控就能更好地集中注意。

为了最大程度地利用时间，你应该尽量在一天当中注意力和精力最好的时候干最难的工作。

因此，在计划次序时尽量把低级的工作安排在一天当中你感到难以集中注意的时候去做。窍门是明确自己表现最好的那几个小时，并据此安排自己的工作。

⊙ **学会说"不"**

我们从不知道做什么能让那些极度工作无序的人说"不"——这很难做到。然而，管理其他人也是生活中最能造成混乱的因素之一，而有效的时间管理和处理技巧就取决于你学会了说"不"的技巧。好消息是你用得越多就越容易。

案例

星期四的傍晚，你正打算回家。你事先已经对这一周进行了周密的计划，可以在下午5点离开，回家享受一下夏日之夜。你感觉到一切在掌握之中并且心情放松，正享受着工作与生活的乐趣。

有个同事打电话来，说她已经在下周一下午3:30安排了一个销售展示会，要求你参与会议准备。你十分尴尬，因为感到自己很难说"不"。

让我们看一下两种可能的结果。

（1）你说"好的"

这意味着你不得不重新调整周五的计划，因为你要为演示做准备。通知得这么晚，会议也不是很紧要，而且也可以安排别人，对此你感到有点懊恼。

你的计划受到了打搅并开始感到紧张，因此回到家时心情不快。因为你并不真正想参加会议，所以对它也就兴致不高。周一到家晚了，而且你仍然未和老板吃个饭——原定周五准备一起吃饭的，因为老板很忙，然后要去度假，所以一个月内不可能再安排一次与他会面。你的同事下次还会要你帮忙，因为她知道你一定会说"好的"。

（2）你说"不行"

考虑一下。你已经花了时间对下一周做好了计划，而且安排好的每件事情都很重要。参加这个会议意味着将取消你盼望已久的与老板的午餐会议——讨论自己的前途。这个会议是个销售会议，而且不是十分必要在周一举行。所以你说"不行"。你说"对不起，自己那天已经有了安排"。你解释说自己的日程安排总体已经较忙，因此需要再提前一点儿通知才行，并建议重新安排会议时间，那么自己很乐意帮忙。

虽然你的同事说她接到通知也没多久，而且听上去有些不满，但你不用过于在意。你很高兴自己作出了正确的决定。这不是你的问题，而仅仅因为你的同事把她自己弄得紧张不堪，并不意味着你也应该被逼到绝境。你只需按原计划行事，保持轻松，就能掌控一切。

⊙**不要工作得太晚**

如果你有条理，那么几乎总是没有必要工作得太晚。工作得太晚让你又累又紧张，而且干扰你支配时间的自由。当然，我们时不时地都不得不工作到很晚，但如果你发现自己经常性地工作到很晚，那么你就很有可能需要更好地对待你的工作负担问题了。不要期以工作到很晚来给老板留下好印象，因为他可能会认为你对事务难以驾驭，因而你想要留个好印象的企图可能适得其反。比它好得多的办法是规划自己的时间、努力工作、保持精神抖擞，并且不要让工作太多地侵占自己的个人时间。

我们不应该忘记的是，我们是为了生活而工作。为了自己的身体健康，或是为了个人的关系和思维状态，适当的时候最好先把工作放一下。就你的身心健康而言，平衡是根本。

3. 区分任务的优先次序

通过区分自己工作负担或者其他活动的优先次序，你就能将注意力集中到那些至关重要的任务上，因而避免使自己的时间安排表拥挤不堪。将你的职责分成以下 4 类。

⊙**重要和紧急的**

处于这一类的任务具有优先权，必须马上就做。

⊙**重要但不紧急的**

这些任务虽然仍很重要，但因为它们不紧急，所以可以在将来某个适当的时间去完成。

⊙**紧急但不重要的**

它们是对你的主要干扰，因为这些任务通常对别人来说紧急但对你来说并不重要。你的选择是拒绝、找别人去做，或者商量改变时间限制。

⊙**不紧急也不重要的**

这些任务可以完全被抛在脑后（直到它们转变为上述类别之一）。

4. 提高自己的组织能力

⊙**不要丢失日常物品**

养成总是把东西放在一个地方的习惯。例如，在门边放上一排钩子，总是将自己的钥匙放在那儿。

将银行账单，以及其他这类东西分开存档。这样就能帮助你记住哪些你已经做了，哪些需要去做。

⊙列清单

列出所有你需要做的，记得将它们按先后次序排列。每完成一件就将它划去。

为明天做准备

每天晚上，仔细考虑一下自己明天需要什么，然后在睡前整理好自己的行囊或公文包。这样就能避免在最后一分钟还匆匆忙忙，以致忘了自己当天所需的重要东西。

在门边放一张清单以便在自己离开时查一下是否一切完备。

为明天做计划

你可以把这个系统扩展为针对每一天的改良清单。试着在每天结束时划掉所有的事项，然后在晚上就能放松休息，睡得更好，精神焕发地迎来新的一天。

为下周做计划

星期五的下午对下周所要做的所有事情进行统一安排。把你需要做的工作、家务事，或者学习进度列出一张清单。对它们区分优先次序，同时注意你能做多少。从时间关系上看一下你所计划要做的事情以及其他的事情，然后决定你的计划是否最大程度地利用了自己的时间。在一周结束时，写出这样一份清单能让你头脑清醒地过个周末，这意味着你因为知道一切在自己的控制之中而可以放松地休息。到了星期一的早晨，你知道自己能在下一周里完成自己所需要做的，而且不会忘记重要的事项。

5. 控制自己所处的环境

⊙客观外部干扰

不管你是在家里或是在办公室里，都会有许许多多客观外部的干扰严重影响你的注意力和记忆。它们包括：电视机、收音机、电话、采光度、温度、人声、交通噪音，等等。你可能认为自己对此无能为力，但有些是你完全可以控制的：

（1）关掉电视机或收音机。在午饭或傍晚才放自己喜欢的节目作为对自己的奖励。

（2）关掉手机。可以在午饭时间或下午查看是否有短信息。

（3）关掉电子邮件。电子邮件也许是现代社会中最大的客观外部干扰之一。同样，只要在一天当中隔段时间查看一下就行了。

你还可以控制其他的东西，尤其是当你不在家工作时：

（1）把房间的温度和采光度调到自己感觉舒服为止。

（2）把自己的工作地点或办公桌安排在不太可能受到诸如交通或电话铃打搅的地方——可以竖个隔断或不要面向开着的窗户。

⊙内部主观干扰

你可能正在考虑其他事情——午饭吃什么、今天早晨邮寄来的账单、今天晚上准备干什么、正在和你谈话的人穿的衣服，等等。所有这些念头都会让你分心并干扰你处理事情和摄入信息的能力。下面的情况有多少次发生在你身上？

（1）你看了一段文字，可到头来根本记不得说的是什么。

（2）你和某人谈了一次话却随后就忘了到底谈了什么。

（3）你问了路，却忘了别人告诉你的大部分内容。

（4）你记不起别人在会议上给你介绍的某个人的名字。

（5）你在参加考试、听讲座或谈话时无法集中自己的注意力。

有许多处理内部主观干扰的方法可以让我们学会使自己能集中注意力，从而记得更好。

使用外部客观帮助工具

它们能使你的大脑排除干扰。手头随时放有一本笔记簿，把你今天所需要做的所有事情写下来。当有新的事情出现时，把它们加到清单里去，这样你就不会担心记不住了（而担忧会使你不能集中注意并进行适当的加工）。每做完一件事情，就把它从单子上划掉。这样做会让你感到有所成就，因而将身心放松并更好地集中注意力。

完完全全地听讲

如果你在上课或听讲座，你自然倾向于尽可能地把所有的都写下来。然而，坐稳，放松，听那个人在讲什么，从而对主题建立一个整体的概念。如果你能拿到讲座的讲义就更好了，这样就完全只需要听讲了。大多数人没有意识到的是，大多数东西已经详细地写在课本上了，因此可以在之后加以参考，而首要的是听讲。

制定一张含有定时休息的时间表

对于像复习迎考或做项目这样的任务，有必要做一张时间表以保证自己每天准时开始和结束，并且按照事先安排的时间定时休息。你还应该去掉晚上和周末。如果你能在时间表里完完全全地集中注意力，那么无须没日没夜地干就能完成你所需要做的——没日没夜地工作只会让你疲惫不堪、情绪急躁，而且基本上不可能集中注意力。

清理自己的大脑

如果你有一个重要的任务要完成，那么就在当天开始之前或在当天的第一个小时把所有其他的任务完成，这样你就能将自己大脑中的内部主观干扰清理出去。

抱着积极的态度

如果你把任务看得很枯燥，那么要对它集中注意就越加困难。然而，大多数事情并没有你想象得那么枯燥。而且，如果你抱着不同的、更加积极的态度去看它有趣的一面，或高兴地感到自己正在用自己的知识做出贡献，这样就比较容易了。

6. 激发永久记忆

　　这个练习旨在激发你的永久记忆。你不需要做任何的思考，它能自动地形成。这样可能有一点不便。有时，你可能会为回忆不起一件往事而闷闷不乐，而有时你回想起来的事情没有意义，会让你心烦意乱甚至更糟，令人不愉快。

　　怎么办呢？我们要蓄势待发，刺激我们的永久记忆。这样做的方法很多，你应该综合它们。最简单的就是，坐下来回顾往事。你可以漫无目的地畅游在往事之中，也可以搭建回忆的思路（童年往事、校园生活、难忘的经历，任何能使你产生回忆的事情），任由你的思绪漫步在往事中。你越是放松就越能回想起美好的往事。另外一种刺激记忆的方法就是将所有的往事记录下来（不需要很专业的写作水平，简单的笔记就可以），或者向你的亲戚朋友讲述往事。如果你确定需要寻找倾诉的对象，那么这个人一定要愿意倾听你的往事而且要值得信赖。

　　还有一种激发永久记忆的方法便是看看能使你产生回忆的小物件和照片，或者你曾经经常去的地方。这是非常重要的引导因素，你会发现一旦你照着做了，另一些思绪就会像泉水般汩汩涌出。

　　最后，你应该向朋友、亲戚，或熟人袒露心扉，讲讲你的往事。很多人现在热衷于这样做。

　　对于许多人来说，整理好永久记忆会给我们带来很多好处。它能帮助我们形成健康的思维，良好的自我定义，对自己充满信心，相信自己能适应自己的生活。你可以从中得到温暖和安全感，这是你服用药物所不能得到的好处。

　　但是，如果你的过去充满了争执、不快，以及压抑的情感，你必须找一个经验丰富的心理医生帮助整理思绪，回忆往事。

为了使你能有美好的思绪旅程，试着接受以下几点建议。

（1）写下或说说你记忆犹新的一件往事。如果你有许多开心的回忆，选择一件最令你高兴的事。检索思绪能锻炼你的思维，同时会让你觉得有意义。

（2）和自己或朋友讨论，谁是你最想再次见到的人。为什么他对你如此的重要？回忆所有与他相关的事情。一旦你开始回忆，你会发现其他的往事已经浮现在你眼前。

（3）列举你最大的成就。不需要什么宏伟的成就，小小的成就对你来说也是很有意义的。

（4）说出你小时候最喜爱的电视节目，尽可能回忆所有的细节。你为什么喜欢这个节目？如果现在有重播，你是否还会一如既往地喜欢？

（5）写一些关于宠物的事。关于宠物的记忆总是那么甜美而感伤，它对你回想往事有很大的影响力。

（6）列举一个改变（或者试图改变）你的一生的人。如果你再次遇见他，你会对他说什么？

（7）回想你记忆最深刻的关于你的父母的事。关于父母的一些回忆往往也是非常重要的。

（8）你从事过的最好的工作是什么？最坏的呢？你是否在走自己期望的事业路线？你喜欢自己的工作、生活吗？或者你是否本想做一些不同的事情？

（9）你最想"回放"的一件往事是什么？如果可以再来一次，你想改变什么吗？或者它已经非常完美，你不想有任何改变？

（10）回想过去的某一天，越详细越好。不仅仅是对人和事的回忆，同时要伴随对于事物的颜色、质地和气味的感觉。

第三篇
超级记忆术

第一章
超级记忆技巧

重复和机械学习

"有的时候，我们确实需要机械地记忆一些东西"——这是一个在擅长机械记忆和不擅长机械记忆的人群之间引起热烈争论的问题。不擅长机械记忆的人群大声反驳说"这种说法是不公正的"！然而，事实上，任何人都可以通过重复来巩固和强化所学的知识。

1. 熟记

当你已经失去了这种习惯和能力的时候，熟记不是一件容易的事情。这种学习方法是学校教育甚至是高等教育不可或缺的组成部分。如果你处在这两个学习阶段中的任何一个，这种纯粹机械记忆的方法都是简单而有效的。如果要重新唤醒这种记忆方法，你所要做的第一步就是找一个安静的地方坐下，确保不被他人打扰，依照循序渐进的原则，数次重复你的目标信息。

当我们要应对马上来临的情况时，我们会采取机械记忆的方法。这是为几天以后的考试做准备的非常有效的方法。两周以后，你也可能仍然记得整首诗的内容，但是更大的可能性是你只记得其中的某些句子。在这方面，每个人的能力以及表现不同。

无论情况怎样，机械学习都不是保持长时记忆的最好方法。我们不是总能够将兴趣长久地保持在学习过的东西上面，而且，最后期限一过，我们也不会再费力地重复所学的东西了。

2. 重复巩固时间

把经过编码的信息转化为长时记忆，这要求你为这项信息建立起十分坚固的表象，也就是使其得到巩固和强化。巩固信息的方法有很多：通过联想，把新信息和已存在的信息联系在一起；通过分类法、通过逻辑组织法。无论你用哪种方法，强烈的感情都是必不可少的，它能够大大地提升巩固效果。

对于简单的材料来说，重复始终是最可靠、最有效的巩固法。每一次的重复对于强化信息都能起到很好的作用：已经存在的信息再次被确认并存储，会使其在大脑中保持更长的时间。此外，重复是兴趣和重视程度的体现，也是保持此信息的体现。总之，各种各样可能的原因使信息牢牢地留在你的记忆里。

另外，如果你利用每天晚上上床睡觉之前的时间来记忆一些东西，就更能促进长时记忆。但是为了防止它被其他吸引你注意力的事情或者事物所代替，你必须在第二天早上一醒来，就立刻回忆前一天晚上记忆过的内容。

联想记忆法

1. 联想法

联想是将你想要记住的东西和你已知的东西之间形成智力联系的过程。尽管许多联想是自动产生的，但是联想的意识创造是将新信息编译的一个极好方法。将一事物与另一事物联想起来，便于我们记忆。例如，小安时常会忘记这个词"樱草属植物"（一种植物，人们喜欢叫它"兔耳朵"）。他注意到它的叶子长得像小轮子，于是他就叫它"骑车的人"，之后就再没忘记过。联想有利于记住一些奇怪而又简单的信息。一旦你形成了联想，你在心里重复几遍或大声复述几遍将有助于你记忆。

这一方法可以用于记忆这些事情：你的新邻居的名字；你的朋友居住的小区；你想推荐的一部电影的名字；去往新开张的商店的路是向右转还是向左转；去往朋友家的公交汽车。

2. 实际应用

小月：初到一个新城市，认识了许许多多的新同学，其中有一位同学的名字叫华振兴。由于某种原因，我一直记不住他的名字。后来我在记忆课上学了联想这个方法并试着使用。我默念了几次"华振兴"之后，我突然想到有一句口号"振兴中华"。我认为我可以通过将"华振兴"与"振兴中华"联系在一起记住他的名字。每次我看到他，我就会在心里想着"振兴中华"。

李先生：在读中学的时候，对于汉代的三次大规模农民起义的记忆让我伤透脑筋，其中，一是公元17年发生的绿林起义；二是公元18年发生的赤眉起义；三是公元184年发生的黄巾起义。前两次发生在西汉，后一次发生在东汉。最让人头痛的是起义名称和先后顺序很容易搞混。为此，我通过联想进行记忆：这三次起义的名称都有颜色，即绿、红、黄，可以将这种变化同枫叶联系起来记忆。枫叶春夏时绿，秋天变红，冬天变黄。这样一来，不但不容易弄混，而且容易记忆。

岳山：我总是记不住意大利的版图，后来，我对它进行了联想。我注意到，意大利的版图很像高筒的马靴——圆柱形的靴身、流行的鞋尖、锥形的鞋跟。没错，意大利就像优雅的腿，一脚踩出欧洲大陆。经过联想处理后，我永远都忘记不了意大利版图的样子。

联系法

大脑总会自动地将新的信息跟已经存在的信息联系起来。你可以把大脑的这种自然的功能（联想）看成是一种记忆术。为了强化大脑的此项功能，最重要的就是充分释放你的创造力。

我们记不住东西的主要原因多半是词与词之间没有明显的联系。解决方法就是发挥你的想象力，人为地为它们创造联系。

1. 记忆和联想

记忆的过程通常包含3个步骤：信息编码、信息存储、信息提取。对于目标信息来说，首先它会被转化成"大脑语言"，然后被大脑拿来跟记忆中已有的各项信息进行比较，以便确定这则信息是否曾经已经被储存过或者是否真的携带一些新的东西，就像是电脑自动更新文档一样。如果确实含有新的东西，大脑将会为它寻找合适的已有信息，并且在二者之间建立联系。这即是信息编码的过程。每个独立个体各异的历史背景都为信息编码提供了丰富的土壤。每

◉ 一项研究显示，人们的信念对其是否记住某件事将产生重要的影响。当给那些害怕蛇的人放映蛇和鲜花的图片时，他们更易于把蛇的图片与恐惧联系起来。

次你遇见新的事物，不管是具体的实物还是一种抽象的思想，你都会自动地将它与你已经知道的信息联系起来——联想是一个自发的大脑活动过程。

我们经常面临一些自己认为不知道答案的问题。利用所有你可以自行支配的信息，建立起一个联系网，借助这个联系网，你很有可能找出问题的答案。这种能力往往在那些能够娴熟地运用自己的知识的人身上表现得最为明显，这种人总是知道如何将新事物跟已有信息联系起来。他们的这种建立联系的能力已经得到了异常完善地开发。

2. 形成联系

⊙深思熟虑的联系和自发形成的联系

联想是一个心理活动过程，它能够帮助你在具有某种共性或者共同点的人、物体、图像、观点之间建立联系。简单地说，如果看见 A，你就想到 B，那么你已在 A 与 B 之间建立起了联系，当看见"A+B"时，你想到了 C，那就证明 A、B 与 C 之间存在共同之处。有些联系是被人们普遍承认的，例如下面所划分的这几类：

音节联系

发音相似的词会很自然地被联系在一起。例如："期求"和"乞求"。

语义联系

这种联系建立的基础是词本身的意义和你对这个词所表示的事物的了解。例如"西红柿"和"水果"。

比喻联系

A 和 B 之间之所以存在联系，是因为 B 的意思和 A 通过某种代换物转化以后的意思相近。例如："苹果"和"羞愧"（羞愧难当，脸红得像苹果一样）。

逻辑联系

背景相同的两个事物被联系在一起。例如："番茄酱"和"调味汁"。

类型或种类联系

两种事物在某一方面（颜色、形状、大小、重量、味道等等）具有共同点。举例来说，"西红柿"和"红辣椒"（颜色相同，都是红色）、"西红柿"和"葡萄"（果实垂下藤蔓的形状相同）。

思想联系

两种事物之间以一种更加抽象的联系作为基础。例如："西红柿"和"太阳"。

与此同时，你也会以自身经历以及个人世界为基础建立联系，因此除了上述的 7 种联系以外，还需要加上下面的两种。

主观联系

这种联系只有当事人明白是怎么回事，因为它暗指了当事人关于某件事情的回忆。举例来说，"大海"和"心绞痛"——因为上次你到海边去，心绞痛发作了，很痛苦……

无意联系

这种联系的建立超越了当事人的意识范围，一般难以给出解释。

⊙借助想象，建立联系

联想这种记忆策略，帮助你在事物之间建立联系，能够大大地提高你记住这些事物的概率。经常练习能够促进信息之间建立联系，而且这种联系越具有独创性，它们就越能稳固地保留在你的记忆里。因此，你必须完全地释放你的想象力，放任图像、文字以及感觉自由地淌进你的脑海，不要对它们有任何限制条件。

对于记忆过程来说，最重要的一点就是找出适合自己的联系方式，也就是说，两个事物之间所建立的联系，对于个人来说必须是有意义的，或者能够激发你的某种感情。

图像记忆法

翻阅一下你的记忆，你很有可能会产生这样一种感觉：一组组的图片在你头脑中展开，就像是幻灯片一样掠过脑海。当你想保留其中的一项时，首先依赖于感觉器官对它进行登记。如果你稍加注意，不只会保留视觉性的映像，甚至还会有听觉性和触觉性的特征。如果你读一篇自己不感兴趣的文章，不投入注意力，没想过要记住内容，也不期望以后会用到这篇文章，那么将不会产生任何的心理表象。这篇文章的信息不会被提交给记忆。相反，如果以上3点都具备——兴趣、注意力，以及把信息传达给别人的期望，就会形成一系列的精神表象，并且在记忆过程中被调动起来。

有没有人会想到自己10年前、15年前或20年前的一些特别经历呢（当然如果你还小，可以想想去年或前年的特别经历）？也许这些经历是令你印象特别深刻的，可能是恐怖的或是刻骨铭心的。例如车祸，受伤的人衣服变红、躺倒在地、地上都是他的物品、车子的颜色，等等。这些鲜明的记忆可能会让你记住十几年，甚至一辈子。

◉ 目击者对交通事故场景内容的记忆会保持很长时间甚至是一生，那是因为车祸是以图像的形式被记录在记忆当中。

为什么十几年后很多自认为记忆力差的人还能栩栩如生地描述上述车祸的场面呢？这就是因为回忆了记忆中图像的缘故。

我们的各种记忆感官中其中一个感官就是对图

像的感官，当我们看到相关的影像时，这个图像自然就会浮现在脑海里，并被记录在右脑里。不要忘记，除了视觉的存盘，还有其他的感官记录可以加入想象的空间。例如，我们也许记得车祸时撞车的声音，因此由听觉引出图像的存盘；也许车祸引起火灾，可以闻到烟火的味道，在车祸现场还可能触摸到倒在地上的车辆或受伤者，这就有了由嗅觉、触觉所记录的图像。

总之，如果我们用各方面的感官来记录一个情景，有特别深刻的影像被记录下来，不仅会加强回忆功能，还会变成清晰的记忆功能。

你常会听人说，图像胜过千言万语。将事物清楚地呈现在脑海是一个有意识地将一件事、一个数字、一个名字、一个字或一个想法在你脑中形成一种形象的过程。如果你花些时间将话语转变成一幅富有含义的图像，然后把这幅图记在心里几分钟，你就更可能记住这个名字、事情或想法了。

一些朋友天生就具有良好的视觉能力。他们的想象生动且丰富多彩。如果你有很好的视觉记忆能力，你可以以多种方式充分地利用它们。其中一种方法就是建立记忆频道。

你可以尽情地使用这样的技巧。例如，一些朋友会将日期表刻在石头上来帮助记忆日期。视觉记忆还可以帮助记忆外貌和地点。如果视觉记忆对你适用，那么你只需自然地运用它即可。如果你去游览一个小镇，你要记住经过的路线，这样你就可以准确地回到停车的地方。

我们以前所说的拍照式的记忆就是现在说的"图像记忆法"。一些人能在一分钟内复述出看过的物体、设计和文件，就好像他们在脑中给这些事物拍了照一样。

当然，有一些人的确有过于常人的一种记忆方式。有一位老裁缝，她就能用极短的时间观察别人的着装，然后完全模仿出来。她建立了蓬勃的事业，为顾客参谋穿着，这些穿着都是她从婚礼和明星的照片上看到的。如果她能够看一眼服装杂志上的一些衣着，或是现场看到别人的衣服，那么她就能更完美地模仿它们。

你可以学习这样的本领吗？你生来就有这样的能力吗？我们来试试。仔细观察下面的几张图片。然后合上书，回想图片并把它们画出来。

这个方法能用于记住这些事物：

⊙你要在超市里买的东西

⊙从机场到你停车地方的路线

⊙去往朋友家的换乘方法

⊙某些国家的版图

⊙你最近听到的一个笑话

细节观察法

1. 概述

记住你没有清楚地观察过的事物或不感兴趣的事物通常是困难的。积极观察是有意识地去注意你所看见、听见或读到的事物细节的过程。运用积极观察，你会发现一张照片、一张新面孔、一处自然景观、一席谈话、一件发生在街道上的事情或一件艺术品的含义以及带给你的震颤。积极观察相对于对周围的事物不进行思考，或因不感兴趣而听之任之的消极生活态度是截然不同的。记忆的关键是对其感兴趣。

一个短暂、未经审查的想法是毫无价值并且很容易遗忘的。当我们将一个想法或主意详细说明之后，我们就能将它更深刻地编译。当某些事情非常有趣或很富有争议时，例如，第一次打篮球，我们不用有意识地去记就能将这一经历非常深刻地记住。在我们的头脑中，我们评论发生的事件；我们试图了解发生了什么；我们将它与我们知道的情形联系起来；我们问自己对它的感觉如何。这个过程可以有意地用作一种可以将我们想记住的信息进行编译的方法。

这种方法可以用于记忆这些的事情：你在一家商店中看到一条被子的图案；如何玩朋友教你的新游戏；你看到的许多人的面貌；新买的吸尘器的使用；两位市长候选人的简介；你在大学里所学的课程；你和朋友讨论的一本书的情节。

2. 实例运用

阿曼：我最近买了一台录像机，读着冗长乏味的使用说明书，按照它们来录制我最喜欢的电视节目。第二次我试着录一个电视节目时，我想不起来如何做了，就不得不重看了一遍使用说明书。由于我想不查阅这本手册就能使用录像机，我复述了一遍所有的步骤，了解了每一步的次序和重要性。我将这些死板的手册指南转变为自己的话。我将这些步骤重复了几次并将它们牢记在我的长期记忆中。我发现，如果将这些话大声说出来，它的效果会更好。使用了详细描述的方法之后，我仍然能记住这些步骤，甚至在三周的度假之后，还能记忆犹新。

◉ 如果只用 3 个果壳，我们能很容易找到小球，但是如果是 4 个、5 个甚至 6 个呢？要想提高我们的记忆速度和效率，就要对我们的记忆量进行限制。

小叶：我一生只去过夏威夷群岛旅行。我去了其中的 3 个岛，它们都非常美丽，然而也有所不同。我想将这些岛清楚地告诉我的朋友们。我曾在报纸上读到，如果你详细地阐述了你想要记住的事物的细节，那么你就能将这些信息更好地编译。

我想了想小岛之间不同的自然特征、我在每个岛上做的事情以及我住宿的地方。我将这些细节与岛的名字联系在一起进行了一些联想。我将这些细节重复了好几天，现在我发现记住它们很容易。

李明：我有严重的关节炎，出去的次数很少。我非常厌烦这种日复一日的生活，并且我的记忆力似乎变得越来越差。女儿在我生日时送给我一个鸟食容器，渐渐地我开始观察来啄食的鸟儿。一天，我看到一只我不认识的鸟。我问女儿是否认识这是只什么鸟，她也不知道。但是她后来带回来一本有几百种鸟类彩色图片和详细介绍的书。当我们查询这只鸟时，我非常惊讶，在我生活的周围竟然有这么多种鸟。这个鸟食容器改变了我的生活！我看到并听到了许多新事情，而且我非常吃惊于我真的能记住它们。

文文：有一次，我去一个大型购物中心，我将车停在了车库。在地上有一些向上和向下的坡道，而在我停车的地方也没有任何文字或数字。我意识到，我会很容易把车放在难记的地方。我仔细观察了我走的这条通向出口楼梯的通道，并且当我到达那儿时，我回头看了看以加深汽车所在位置的样子。当我回来时，我很清楚地记得我的汽车所在位置以及到那儿的路。

安平：学习了积极观察这个方法之后，我决定试试这个方法。我去了我们当地的博物馆并花时间看一幅由莫内塔画的两个女人的油画。

我没有像通常那样很快地扫视这幅画。我看了看细节，又看了看整体，并问了自己一些问题：它漂亮吗？它是什么年代的作品？这两个女人看起来是高兴还是悲伤？她们穿着什么样的衣服？我想把它挂在我的起居室里吗？当我离开这家博物馆时，我知道我会记得这次博物馆之旅：因为我所记忆的东西不是通常一些模糊的画面。

外部暗示法

当我们面临一些无法立刻认知其含义的形象时，我们就会通过深入想象来寻找答案。那时我们所看到的——或者认为我们所看到的不仅能够反映出我们习惯性的感觉、思考和行动方式，而且还能反映出我们以前已经感觉到、经历过的东西，甚至是我们的潜意识。我们的想象力产生作用的方式反映了我们的实质，因此心理学家开始借助于视觉辅助手段（图画、照片等多样化的文件）。通过这些辅助工具，可以透射出人们对自身的真实看法，以及其他人对他们的反映或者是可能做出的反应。

1. 好的和坏的记忆辅助工具

我的冰箱上贴满了便条！它们真的很必要吗？

想象一下你准备购买的物品，试着在脑子里列一个你所需要的所有物品的清单。这个记忆练习是我们每天都要做的事情。下一步你要做什么？写一张购物清单吗？

面对日常生活中许许多多不同的任务，我们倾向于向一些辅助工具（一张纸、笔记、便条、告示牌……）求助。它们真的对记忆

⊙ 今天的人们在使用各种记忆辅助物的电子装置。这些电子辅助物包括电脑、记事本和录音机。其他的人工外部记忆辅助物还有日记、会议记录、报告和笔记。

有所帮助吗？还是会以毁坏我们的记忆力而告终？我们应该尝试离开它们去做事情吗？

好的辅助工具能够使我们完成那些离开它们便不可能完成的事情。假设我们能够回忆起日记或者地址簿里的所有东西，但这是合理、现实的事情吗？其实那是对你的记忆能力估计过高。日记和地址簿使我们能够在不加重记忆负担的情况下一天一天地生活下去，因此是非常好的工具。

另一方面，当辅助工具使我们不能充分利用我们的记忆力时，它就变得有害了。因此，当我们不自觉地打开电话本查找一个熟悉的电话号码时，就剥夺了对记忆而言极为重要的思想训练，并且会导致懒惰，而这种懒惰在不久以后会对我们个人的独立性产生消极影响。

2. 书面提示：将事情写下来

你不必将所有东西都记在你的脑子里。

尽管有许多时候你必须依靠你的头脑来记忆，但大多数人在整个日常生活中都用外部暗示来提示自己。例如，你也许会使用闹钟叫你起床、遵守约会的日程，使用厨房定时器来煮饭，或使用一个有标记的药盒。你必须承认，在许多情况下，无需相信你的记忆力。如果你能使用你所在环境中的一些东西来提醒你，你的脑子就不必想其他事情了。

尽管很多人都使用日程表、约会簿和笔记用以了解他们想要记住的东西，但是仍旧有许多人怀疑做书面提示是否真的对记忆力差的人是一个帮助。事实上，将事情写下来是最有用的记忆工具之一。

如果你想更好地记住这类事情，将所有的信息记在一个笔记本里。

下面的内容将为你提供一些创造性地使用书面提示的思路。

（1）列一份你需要做的事情的目录。你一想到某件事情，就将它添加到这个目录中。

（2）使用一个约会簿或日程表来提示你自己想在以后打的电话，例如，打电话给一位刚做过手术的老师。同时要养成一种经常翻看日程表的习惯。

（3）记下一个在下次看病时你想问医生的一些健康问题。在离开医生办公室之前，记下医生的嘱咐。

（4）写日记记录每天发生的事情。如果想知道自己是否已经完成了作业或听了一堂重要的讲课，你都可以查看这本日记。

（5）列一份你想读的书或你已经读过的书的名字目录。

（6）记录你寄出或收到的信件和贺年片。

（7）记录你所服的每种药物的名字和剂量。包括你开始服用的日期。

（8）将你想记住的所有人的名字列一个目录，例如，邻居们、社团的成员们和你同学的家长们。

（9）记录你想记住的周年纪念日或节日。

3. 改变环境

提醒你记住某件事情的最好、最简单的方法之一就是改变你所在环境中的某一事物，这样你就能注意到这一改变。然后，它就作为一个暗示来唤起你的记忆。只要一想到这件事，你就做出改变。

当你还小的时候，你可能使用过一些小技巧，比如在手帕角上打个结，帮助你记忆杂事。这种方法通常能使你轻松地记住很容易被你忘却的事情。手帕上的结提醒你周末的模拟考试，结虽小但却很重要。还有人使用别的物质记忆方法，比如在手指上绑胶带。

物质提醒可以从自身的记忆延伸到周边的事物。不要将物品摆放在平常摆放的地方就能起到很好的提醒作用。对于我们大多数人来说，这个方法简单实用（比如将一本书放在茶几上，而不是放在书架上，可以提醒你上学时要带着它），但是如果你滥用这种方法，改变太多摆放的东西，就会混淆。

有的家庭喜欢采用特别的方式来交流、转告信息，有一些让人很难理解。例如，一个家庭成员将一个石头摆放在门前，以此来告诉其他成员家里备用的钥匙就藏在下面。这能算得上是妙计吗？恐怕只会引来不速之客。

乐乐是这样做的：桌上打开着的书用来提醒她要去图书馆。自行车钥匙放在电脑上方提醒她要修车。妈妈的照片倒着摆放并不是因为她粗心大意，而是第2天是妈妈的生日，这样摆放可提醒她买礼物。

不要只用一种技巧去记事物，试着结合所有的技巧。视觉、听觉和实践都应该结合起来，这样才能够达到最好的记忆效果。

这有一些可以唤起你记忆的环境暗示的例子。

（1）将要拿去给洗衣工清洗的衣服放在门前。

（2）将一个纸条放在厨房桌子上，这样当你吃早餐时你就会看到它并记得给你的朋友寄张卡片。

（3）将一个纸条放在书包上用于提醒你在书店停下来。

（4）在你手提包的提手上系一条细绳，这样在没有提醒邮寄包里的信件的情况下你不会打开它。

（5）当你下楼时，在楼梯的前面放一个空盒子用来提醒自己在你上去之前把电热器关了。

（6）把手表或手链

🔘 改变所在环境中某一物件是行之有效的记忆办法。比如，电台的 DJ 将当日节目要播放的光盘改变存放位置。

换到另一只手上；你就经常能感觉到它。当你开车去你的朋友家时，它将提醒你去告诉他有关周末计划改变的情况。如果你再大声告诉自己："告诉老板计划有所改变！"这个方法的效果将会更好。

在使用任何这些外部提示时，不要拖延是至关重要的。只要你一想到你需要在以后做的事情，便选择这些方法中的一种并立刻应用。如果你想着"当这个电视节目结束时，我在我的购物单上添上土豆"。那么你 10 分钟后或许就将有关土豆的事情全部忘光了。

感官记忆法

1.听觉暗示：使用声音引发你的记忆

闹钟和定时器可以用于提醒你某一件事虽还没做，但在某一时间必须做。电话应答机也可以用于提供听觉暗示。

这是一些使用听觉提示的例子。

如果你打电话没有打通，设置你的定时器来提醒你再打一次电话。

如果你正忙于写信并要确保在某一具体时间离开赶赴一个约

会，设置一个便携式定时器，并把它放在你的桌子上。

如果你离家很远，而你想记住当你回去时要做的事情，可以在你的手机备忘录上留一条信息。

2. 温柔地触摸

你会用触觉来学习弹奏一个乐器，因为你的手指会记忆弹奏的准确位置和力度。当然，你也可以将动感加入到别的记忆中，例如，一些朋友喜欢记忆的时候打拍子。没有必要让你的朋友知道你的这种记忆方式（他们会误解你的行为），但它确实有效。

还记得第1次向朋友展示你的新奇物品（比如相机）时的情景吗？他肯定会说："让我瞧瞧吧！"然后从你手中夺过它，仔细地观察起来。在看的同时，他也在不时地用心去感觉它。出于某些原因，我们时常会因为自己用触觉去感受东西而感到不自然。事实上我们习惯于用触觉去感受任何东西（特别是人），从而更贴近他们，对他们建立起真实的感觉。触碰是一种非常微妙的感觉，这种感觉很重要。

触碰不仅使我们感觉到正在发生的事，也能使我们形成一种特殊的记忆。一位盲人朋友说，他只要用手指触摸就可以凭感觉将许多纸牌分辨出来：一些牌有凹凸不平的地方，有褶皱的地方，也有一些有折角，这些对于视力正常的人来说并不起眼，而盲人却可以用高度敏锐的触觉准确无误地将它们分辨出来。

虽然人的触觉是天生的，但它和其他的感觉系统一样也可以通过训练提高。你应该花大量的时间用心去触摸物体，然后深切地感觉它们。许多工作对触觉记忆要求甚高。比如，拆弹专家，他们的工作就依靠高灵敏度的触觉记忆。他们不可能将每个炸弹都拆开仔细研究，更多时候他们需要凭触觉去感受，而一次错误的触觉判定就可能会结束他们的一生。

3. 我记得那个味道

嗅觉是最强的记忆功能。我们也许会觉得不可思议，但是相比其他的动物，我们的嗅觉功能要弱得多。不管怎样，我们还是会因为某种特殊的气味回想起曾经一起去过的讨厌（或喜欢）的地方。粉笔灰就能使我们回忆起在学校的时光，氯气的味道就能使我们想起小时候的游泳课，草莓的味道则让我们联想到夏天……

每个人都有自己独特的嗅觉刺激。大多数人都会对某些味道有特殊的联想。

然而，令人失望的是嗅觉并不能帮助我们存储信息。它并不能激发我们建立正确的记忆。它只和情感相关，却很难与事实相连。它也许能帮助你记忆地方，曾经让你开心、伤心、愤怒、爱惜的事情，但它绝对不能帮助你回想起例如美国历届总统名字这类的事情。

嗅觉记忆真的有实际意义吗？这当然因人而异，但是有一点是肯定的：你可以将特殊的气味与一些记忆方式结合在一起，这样将便于增强你的记忆。

数字记忆法

1. 增进对数字的记忆力，这真的可能吗

这个问题的答案是肯定的。卡内基·梅隆大学所做的一项研究显示，人的确能够通过练习增进对数字的记忆。在实验开始时，这个主题——一个普通的学生能够一下子回忆起将近 6 个阿拉伯数字。经过几周的练习之后，他在一定程度上有所进步，在实验的尾声——18 个月之后，他可以给研究人员复述将近 84 个阿拉伯数字。

猜猜他是怎样完成这项任务的？将这些数字与他已存的知识基础联系在一起，你就会得出答案。在这个案例中，就要像他一样如一个殷切的越野赛跑者与时间赛跑。学生们记忆的增进不仅仅是练习的结果，研究人员说："成功在于他能通过联想将这些数字变成有意义的图案来提醒他。"

每个人的一生都要与数字打交道。想想对你特别有意义的数字，一旦你认定它们，开始把它们用于联想记忆的目的。很快你就会发现你自己就在每天使用这些简单的技巧。

⊙**重要数字**

生日（你的生日、配偶的生日、好友的生日、孩子的生日、亲属的生日）

周年纪念日（你的纪念日、父母的纪念日、兄弟姐妹的纪念日，等等）

重要的年份（高中毕业、结婚、工作取得成绩、战争、历史中的一些重要年份，等等）

驾驶执照的号码

身份证号码

账户号

银行卡的密码

车牌号

你的幸运数字

公路或国道

体育数据（运动员的比赛得分、参加年份，等等）

与爱好或你的收藏相关的数字（古董、硬币、蝴蝶，等等）

街道地址、邮编、电话号码

练习使用以前牢记的单个数字，或是各种不同的数字，以便于迅速地与新的数字相联系。你越是依赖这套系统，它也就变得越可靠、越成习惯。你所做的只是用某个有意思的东西取代抽象的东西。如果是一长串数字，那就把它分割成 4 部分或更少的部分。一串 11 位的数字，例如，10159711100，当分割和编码后就变成了："101 公路与 5 号洲际公路之间有 9 千米的路程，在通过 7 ~ 11 千米及 100 个停车标志牌后，两条公路就会相接。"11 位数的电话号码也可根据此方法分割成 3 个部分：区号、前辍，及最后 4 个数字。银行和政府机构一直都信赖这套记忆技巧。

⊙将数字转换成实物

对你喜欢的事情，转于记数字，你会更好地记住具体的实物和形象；它们对你来说会更有意思。这很简单，也很好用。这意味着你可能是一个杰出的视觉习得者。也就是说，你的记忆力能更好地用视觉形象编码。如果你更倾向于用视觉方式记忆信息，你自然会像前面所举的例子那样用联想构建一个故事情节；如果你更倾向于用听觉方式记忆信息，那么，你就会形成听觉联想，如枪声、同音词、韵律。

关联词汇系统通过将数字编译成更为具体的实物而起作用。这个系统需要你刚开始时花一些时间记忆代表每个数字的词。一旦你背会后，关联词汇法便能用来完成大量的记忆工作。如果你记住 10 个数字，你就能形象地将与其他比 10 大的数字相结合。无论如何，关联词汇法是最适宜使用的且对你也很有意义。

2. 复述法

这是最弱的记忆胶水。不断重复信息能够在你的大脑中留下短暂的记忆，但很快就会被遗忘。不过要是记电话号码，这不失为一个好方法。

跟着我读：0795634，重复几次。如果你多重复几次，你会发现你已经能够记住它，但是没过多久就忘了。如果不用别的方式重新记忆，不知道明天的这个时候你是否还记得这串数字。不过没关系，有一些东西我们确实不用长时间地去记住。如果你看到一个号码，只要在拨打前的一段时间内记住它，那么你就可以用重复叙述的方法记忆。但是如果你碰到了心仪的人，当他给你电话号码时，用这个方法记忆就不太保险了。

复述法并不是唯一的记忆技巧，如果将它和别的技巧相结合，那么它能发挥得很好；如果仅仅单独使用，那么它只能暂时奏效。

3. 组合法

组合法即将一个新数字与一个毫无困难就能出现在脑海中的数字联系起来。例如，对许多人来说，各地区的区号是再熟悉不过的数字，因此可以把它们作为参照去记忆其他的数字。

另一种是联系个人的经历或熟悉的文化知识记忆数字，比如联系自己的出生日期、年龄、主要人生大事发生的时间等。

第二章
不同对象的专项记忆术

记住名字和面孔

你是否有过尝试记住一个人的名字却徒劳无功的经历？是否有好多次，你和一个熟悉的人擦肩而过，却无法想起他是谁？或者遇到了不久前刚认识的一个人，但是你却怎么也想不起他的名字？有时候这些情况非常让人尴尬，而这并不是不可避免的，以下是几点实用的建议。

1. 基本原则

⊙你的注意力

记忆名字和脸孔最重要的第一步是要有这样做的渴望：许诺要记住它们。如果你立即希望自己在一个你将遇见很多陌生人的场合，看看你是否能尽早记住一列名字。如果你能的话，回顾一下这些名字，并马上开始联想。如果你要牢记人们的名字和脸孔，你的注意力就应固定在你的目标物上。记不住的其中一个最基本的原因就是思想不集中，如果你不去强调它，不要渴望会记住某人的名字。当你遇上一个陌生人时，仔细听对方并观察对方，充分使用你的感觉，注意他们最显明的特征是什么，然后详细描述。

⊙你的想象力

想想你们的名字都必须有什么意义，或者他的名字听起来像什

Tricy　老师

Lucy　学生

San　厨师

Tom　警察

Susan　护士

Anna　演员

⊙ 请仔细观察上面 6 幅图，研究图像代表的人物、名字和工作，然后用纸盖住图像下的名字和工作，由自己重新写出来，看看自己是不是"过目不忘"。

么或看起来像什么。然后，将名字转形成具体的东西。这里有一些简单的例子：

当名字与某个具体的物品意思相同时，例如，Frank Ball，则想象成在 ball park（棒球场）吃 franks。

当名字听起来像某个具体的物品时，例如，Dotty Weissberg（精神不定的韦森堡），将其想象成 dotted iceberg。

当名字中包含一个形容词时，例如，Bill Green，那么想象 Bill 两眼发绿，或者想象成 Green Bill（绿色的纸币）。

当名字能使你想起某一具体的事物时，例如，Bob McDonald，能让你想象到制作汉堡的场景。

当名字与某地意思相同时，例如，Joe Montana，那就想象一只袋鼠居住在 Montana，或驾车去 Montana 兜风。

当名字中包含一个前辍或后辍时，例如，Karen Richardson，利用你先前选择记忆的符号，好比太阳光照耀在一个 rich（富裕）而 caring（有同情心）的人身上。

当你留意到某个显著的特征时，把它与特定的形象相联系。例如，Kelly Beahl 穿高跟鞋挺好看的。这种技巧是非常有效的。

⊙何时运用

一般来说，这种方法在日常生活中的某些情况下难以运用。因为构建心理图像需要一定的时间，并且有时候会被其他正在进行的活动所干扰，比如在记忆的同时还需要与对方进行交谈。不过，当可利用的时间足够充裕时，这种方法是非常有效的。例如，我们第一次遇到的同事、顾客、协会会员、朋友的朋友……

2. 如何记忆

⊙利用发音进行记忆

在一次工作会议中，为了记住工作组其他成员的名字，我们可以将每个人的第一印象与他们的名字联系在一起：张伟有个大鼻子，马晓娜的脸蛋红得像个西红柿，王莎很漂亮，周瑞很健谈……

有时候，我们可以通过一个熟悉的发音来帮助记忆人名。刚介绍给你的一个人可能与你认识的某个人拥有相同或相似发音的名字，或者他的姓氏让你想起某个名人或某个城市。

⊙重复的好处

如果你忘记了某个人的名字，可以要求他再说一遍。你还可以通过将他们的名字用到对话当中来牢记他们的名字（例如，“告诉我，王洛，你对这种情况有什么认识？”），或者问问他们的名字有何渊源。当你告别同伴时，再叫一次他的名字（例如，“很高兴能认识你，雷晓西，希望日后还能见到你。”）。在你进行下一个对话之前，暂时停顿一下，在内心重温一下你想记起这个人的哪些事。

不断重复能够保证名字或面孔更好地“驻扎”在记忆中。因此，尝试时常回想，最初频繁些，随着时间的流逝再逐渐拉长回忆的间隔。这样，你会发现分散记忆和间隔回忆的效应。

⊙线索和背景

当回想某个人的名字时，你可以尝试汇集所有你能够想到的线索，以这种方式你将快速开启回忆之门。

首字母线索

从回想一遍字母表的所有字母开始，来找出名字的第一个字母。尤其是外国人名，第一个字母往往能提供有利的线索。例如，"Antoine Bechart"这个人名中两个单词的第一个字母正好是字母表中最前面的那两个。

背景环境

拥有越多的关于某人及与其相识的背景信息，将越容易回想起他的名字。事实上，对背景的回忆将帮助你给这个人"定位"，例如他所从事的职业、某些性格特征等。无论是亲属还是公众人物的名字，如果在不同的元素之间建立联系，将更容易记忆，例如将与一个人的对话内容和他的名字联系在一起。如果在阅读完一本书后，与其他人进行了讨论，这本书的作者就不会轻易被忘记。

⊙将重要的东西归档

一旦你记牢了别人的名字和脸孔，你就需要编码你在哪里遇到的他们或者是其他相关的事情。这样做可将人名与其他信息相结合。例如，我在体育馆遇到许丽文，而她却想去外面享乐。这样，我就通过想象一个瘦小的球童正搀扶着一个看上去有 100 千克重的妇女来加深对这些信息的印象，她穿着一件运动服而且快乐得快要昏死过去。也许，这并不是最好的形象，但它却可能是容易记住的形象。

从阅读中受益

阅读可以是一种娱乐、一种消遣和放松的方式，但是对那些要学习的人，或者只是为了寻找一些信息的人来说，阅读也同样是一个必不可少的活动。在任何情况下，当我们发现自己想不起正在阅读的文章的内容时，或者当我们翻到书的最后一页却发现什么也没记住时，这是非常令人沮丧的，但这并不是不可改变的。

1. 阅读时的记忆

要想保持对文章内容的长期记忆，最好的办法就是充分理解文章的内容，在理解的基础上记忆。有很多方法可以帮助我们长期记住文章的内容。根据阅读材料的不同，你可以选择适合的方法。

⊙做笔记

有些学生觉得自己记忆力不错，拒绝做笔记，结果聪明反被聪明误。俗话说，好记性不如烂笔头。用笔记的形式记录文章的概要和自己的理解以及对作者观点的看法，可以帮你更好地理解和记忆文章的内容。在做笔记的时候，你应该积极思考，多多表达自己的想法和见解。你的想法越多，记忆的效果就越好。

⊙找关键词

其实，一篇几千字的文章，作者所要表达的关键信息并不太多。如果找到其中的关键词，就大大降低了记忆的难度。你可以用下划线、点、圈，或者颜色等符号把文章中的关键词和关键句子标示出来。一方面可以一目了然地看到文章的关键内容，另一方面还方便以后的复习。需要注意的是，一个段落中只能标出一个关键的句子，一个句子中只能标出几个关键词。否则，当你读完一篇文章的时候，会发现文章中画满了圈圈点点。所有的内容都成了重点和没有重点一样，甚至会让你感到更加难以记忆。

⊙做批注

不少人以一种奇怪的方式爱护书籍，认为不应该在书上乱写乱画。如果你把书籍当做一件装饰品，或者当做古董，这样做可以理解。但是，如果你想从书中学到知识，就应该把书籍当做媒介。不但要在书上标记出关键词，还应该在书籍的页眉页脚和边缘写上批注，表达你对文章的理解，你对作者观点的态度。什么观点是你认同的？什么观点是你否定的？哪些内容是你理解的？哪些内容是你不理解的？这些批注可以加强你对文章内容的理解和记忆，也方便你以后的复习。

⊙ 提问并回答

在阅读文章之前，你应该先问问自己想了解哪些问题，比如事件发生的时间、地点和相关人物，事件的起因、经过和结果。在阅读时找到这些问题的答案，把答案写在笔记本上，或者直接在书中标注出来。这样就把文章的关键信息找出来了，对这些信息的记忆也就更加深刻了。需要这些信息的时候，就可以直接在书中找到。

⊙ 图解

所谓图解就是用关键词和图形的方式描述书中的内容。把书中的内容绘制成图，可以帮助我们理解并记住书中的内容。用关键词和图形可以把书中的主要信息展示出来，用箭头和连线可以把信息之间的逻辑关系一目了然地呈现出来。

首先，把文章的主题写在一张纸的中央，然后从主题引出几个主要的分支，描述文章的主要论点。接下来从每个主要分支引申出次级分支，描述支持每个主要论点的分论点，再下一级的分支，描述支持每个分论点的论据。借助关键词、图形和符号，你可以把文章中所有的信息都囊括到一张图中，你还可以用颜色或图形表示出其中的重点内容。

⊙ 做索引

做索引在进行主题阅读时非常有用，它可以帮你对一个主题进行系统的研究。

首先，把 A5 的打印纸做成卡片，从中间对折，左边写上概念，右边写上定义。然后，在阅读的过程中，遇到你所要研究的概念，就把它写在卡片的左边，写下介绍这个概念的关键词，并在右边写下你不熟悉的术语的定义。把这些卡片整理好，放在文件夹相应的科目下。当你阅读同一主题的其他书籍的时候，就把卡片拿出来，把新的信息填写进去，并进行对比。

2. 从阅读中受益

⊙ 选择你的阅读方式

存在两种阅读方式：被动地阅读和积极地阅读。当我们被动地阅读时，浏览一篇文章或者一本书，并没有将注意力真正地集中在所读的内容上，因为这期间我们的精神在随意游荡。这样的阅读后，我们只能保留对文章的总体印象。

如果希望记住所阅读的细节，就应该采取一种更为积极的态度：在安静的环境中投入更多的注意力并加强学习意图。随时拿着一支笔，以便划出关键字和重要段落，或者是做笔记、绘制图表、写批注。当我们全部阅读完后，重新再看一遍用笔圈出来的部分或者笔记，然后写下记住的重要概念，并尝试梳理阅读内容的结构。

⊙ 利用 PQRST 方法优化编码

还有一种要求更高和更有效的阅读方法，它在学习中尤为有用。1950 年，美国心理学家托马斯·富·斯塔逊发展了这种方法。下面是这种方法的 5 个步骤。

预览（Preview）：以浏览的方式进行第一次阅读，抓住文章的总体意思。

问题（Question）：向自己提出关于文章内容的关键性问题，辨别出重要的信息。

阅读（Read）：以积极的方式重新阅读一遍，目标是回答自己提出的问题。

陈述（State）：复述所阅读的内容，并说出文章的主要观点或特征。

测试（Test）：通过设置问题来验证自己是否很好地记住了文章表达的内容，答案构成文章的概要。

这种方法能促使我们深入地处理和组织信息，它被成功地应用于各种日常活动中，比如学习一门课程或者仅仅是阅读一份报纸。

⊙疲劳：注意力与领悟力的头号敌人

由于疲劳会降低阅读效率，因此我们需要合理安排时间来完成阅读任务。分4个半小时来学习比连续学习两小时要好，这样可以强化记忆痕迹。

考试是让每个人都害怕的事情。但记忆有时会跟我们搞一些恶作剧，就在我们最需要它的时候，我们的记忆不行了，最终导致我们考砸了。即使我们完全能够通过考试，我们日常的学习和记忆方法也可以极大地影响我们在考场中的表现并加强自己的记忆。

在你开始复习时，设计一张时间表并遵照执行。留出足够的放松和娱乐的时间（午饭、下午茶，等等）。

从通读一个专题的笔记开始，然后总结出主要的几点。

做些额外的阅读以便使笔记更加方便记忆、有意义和有趣。尽量看出不同主题之间的联系以便建立起更有意义的一个总体概念。

躺下来，闭上眼睛，并试着去理解材料。和同班同学进行专题讨论是有所帮助的。如果你对某件事情没有完全理解，那么要想在考试中将它重现就难了。

对于公式、引用，以及类似的材料，你可以尽量创建帮助记忆的工具，使它们更加容易被记住并挂上记忆"标签"。

开始考试之前，想象一下自己写下的要点的序号。在考试时，用你的思维之眼"看"这张清单。

同时，身体健康也是十分重要的，所以要吃好和睡足。

对外语的记忆

1. 从书写到学习外语

我们基本上是从学校学会如何书写的，这方面的知识被存储在语义记忆中，我们一般是自动地运用它们。尽管如此，有时我们还是会怀疑一个字的写法或用法而去求助字典或语法书。但我们并不总是随身携带这类参考书，并且某些怀疑会一直持续，甚至在反复验证之后，因为有时候我们看过字典或语法书后立即就忘记了。以下的建议，不能取代专门针对成人的培训，但是能够暂时缓和我们在书写时遇到的困难。

⊙**个人的精神记号**

组合法是记忆语法和书写规则的有效方法。

口头组合

你是否注意到，我们在书写一个英语单词时停下来，通常是遇到同种类型的困难：是一个"r"还是两个？是一个"t"还是两个？已有的或者自己编造的一些小句子，将有助于你在需要的时候回忆起正确的构词形态。任何词汇都可以用这种方法来记忆。

把你要记忆的词分成音节，然后创造出另外的一个词或者一个短语，它们或是听起来像你要记忆的那个词，或是从视觉上可以使你想象出要记忆的那个词。

图像组合

联系图像记忆单词也是一个很好的方式。例如，为了记住法语单词 collier（项链）和 caillou(石子) 书写中的两个"l"，可以想象一条由几个长形的小石子串成的项链。选一些图片或是图像代表你想要记住的特殊的词和字母组合，把这些图像联系在一起形成一个情节，将有助于记忆。

⊙如何更好地掌握一门外语

当我们在学习一门外语的时候，可能感到特别困难，因为在这样一个领域非常不容易找到它们的标志。不过，普通的学校和专业的培训机构，都发掘了许多好的学习方法。

短小的句子胜过孤立的单词

关于记忆的研究表明，一个短小的句子不比一个单词难学，常用语或多功能的话语能随时拿来"充数"。例如，句子"我想吃东西"或"我想喝茶"使用的是同一个句型，英语是 I would like (to eat 或 some tea)，西班牙语是 Me gustaria(comer 或 un te)。

在一定的时间间隔后复习

记忆单词或者句子可能是一件非常枯燥的事。为了提高效率，可以每隔一段时间进行重复：把需要学习的内容分成多个部分，从第一部分开始记忆；第二天先复习前一天学过的内容，再学习新的内容，如此继续下去。如果几个人一起复习，可以借助场景对话来练习。实验表明，单纯地死记硬背不如在语境中学习有效。

如何实践

经常应用对学习外语很有帮助，因此，应该增加练习的机会，特别是现场对话。听原版外文歌曲、看带或不带字幕的外文电影和电视节目，对那些已经掌握了基本语言或者概念的人会是一个很好的训练机会。而对那些刚入门的人来说，这样的练习不但不适用，还可能造成灰心失望的结果。

2.单词拼写

当我们要记住一个平常容易拼错的单词的时候，一般会依赖记忆法。比如为了不把 separate 这个单词的正确拼法同常见的错误拼法 seperate 混淆，我们可以想象一支巴拉（para）装甲兵团登陆到这个词中间，把这个单词分成两个部分：se para te。

记住单词拼写的窍门在于找到单词的含义与它的构成字母之间的联系，然后运用想象和联想使单词变得更容易记忆。举几个例子："cEmEtEry"（公墓）这个单词里面有 3 个对称的字母 e，它们像墓碑一样伸出来；把手 (hand) 伸进口袋掏手帕 (handkerchief)；用记忆 (memory) 来记住是 memento(备忘录) 而不是 momento 是一个提醒人们的东西……

联系是记忆作用和活动的机理，在你见到的每个单词之中，总会找到拼写和词义之间的某种联系。

3.近声词

数声转换记忆法是给每一个词找一个近声数字。举个例子，门（door）的发音与数字 4（four）的发音相似，那么 4 就可以作为"门"这个词的近声词，可以帮助你记与"门"有关的信息，反之亦然。

比如说要记住去一个国际机场的 4 号登机处搭乘飞机，就可以想象自己在去机场的时候拖着一扇门，用这个简单快捷的方法可以让你顺利地抵达正确的登机处。

那么你用数字 1、2、3 都代表了怎样的近声词呢？下面是所有 10 个数字的一些近声词，记住这些列出来的词或者你自己设计的词语。

0（zero）→ hero（英雄）

1（one）→ gun, bun or sun（枪、小面包或者太阳）

2（two）→ shoe, glue or sue（鞋子、胶水或者起诉）

3（three）→ tree, bee or key（树木、蜜蜂或者钥匙）

4（four）→ door, sore or boar（门、炎症或者公猪）

5（five）→ hive, chive or dive（蜂巢、细香葱或者跳水）

6（six）→ sticks, bricks（树枝或者砖）

7（seven）→ heaven or Kevin（天堂或者凯文）

8（eight）→ gate, bait or weight（门、鱼饵或者重量）

9（nine）→ wine, sign or pine（酒、符号或者松树）

4. 代用语

学习英语，尤其是那些字母较多的单词，往往会令初学者头痛。如果用代用语来表示这些词或句子，又会是怎样的一种情况呢？下面列举出几个句子，让我们来看一看效果。

（1）Philadelphia（费城）：

fill a dell for ya（为了 ya 而堵塞小山谷）

（2）Mississippi（密西西比）：

Mrs Sip（西普夫人）

（3）philosophy（哲学）：

Fill a sofa（沙发上放满了东西）

（4）salmagundi（意大利菜杂碎）：

Sell my gun D（把枪卖给 D）

仅单纯记忆以上提到的 4 件事，就要花费很多的时间和精力，可是如果不用这种方法而强记原来的单词，恐怕更是困难重重，不仅浪费时间，而且效率不高。如果以代用语的方法来记忆，则是十分容易的事。